EinFach
Deutsch

Sophokles, Anouilh, Brecht u. a.

Antigone

in Vergangenheit und Gegenwart

Erarbeitet und mit Anmerkungen
und Materialien versehen von
Margret Behringer

Herausgegeben von
Johannes Diekhans

Die Übersetzung von Heinrich Weinstock wurde mit freundlicher Genehmigung des Alfred Kröner Verlages, Stuttgart, entnommen aus KTA 163, Sophokles, Die Tragödien.
Der Abdruck der übrigen Texte erfolgt mit Genehmigung der dort aufgeführten Autoren bzw. Verlage.

Bildnachweis:
60: M. Behringer – 61: Verlagsarchiv/INNOVA – 62: © Gruner+Jahr – 67: Vatikanische Museen, Rom – 68, 76/77: Verlagsarchiv – 71: Bibliotheca Marciana, Venedig – 72: Museo Nazionale di Villa Giulia, Rom – 73: Louvre, Paris – 74: Metropolitain Museum, New York – 75: entn. aus: A.A. Trendall T.B.L. Webster, Illustrations of Greek Drama, 1971 – 78: © AKG, Berlin – 80: Schaubühne, München – 94, 111, 132: © dpa – 103, 107: C. Neher – 126: D.H. Teuffen/Interfoto, München

www.schoeningh-schulbuch.de
Schöningh Verlag, Jühenplatz 1–3, 33098 Paderborn

Druck 16 15 14 / Jahr 2016 15 14
Die letzte Zahl bezeichnet das Jahr dieses Druckes.

Umschlaggestaltung: Jennifer Kirchhof
Druck und Bindung: westermann druck GmbH, Braunschweig

ISBN 978-3-14-022406-2

Sophokles, Anouilh, Brecht u.a.: Antigone in Vergangenheit und Gegenwart

Vorwort

„Nichts scheint ja einfach-monumentaler und verständlicher zu sein als die Handlung und die Gestalt, der Konflikt und das Problem der „Antigone“ des Sophokles. Umso verwunderlicher ist die Tatsache, dass seit Goethe, Hölderlin und Hegel kaum 5 *eine antike Tragödie häufiger und widersprüchlicher interpretiert worden ist als sie.“ (Käte Hamburger)*

Die Auswahl einer geeigneten Lektüre für den Unterricht ist immer wieder eine Herausforderung. Der Text soll gefallen, er soll verständlich sein und für das Leben in der 10 heutigen Zeit Bedeutung haben.
Auf den ersten Blick sperrt sich die „Antigone“ des Sophokles diesen Ansprüchen: Die Übersetzung aus dem Griechischen, die Versform, die komplexe Syntax und ausgesuchte Wortwahl stellen Herausforderungen für den 15 Leser dar. Das Stück ist, anders als die bekannten Dramen des Illusionstheaters, wenig anschaulich. Er hat keine spannende Handlung, nur zwei oder drei Akteure und einen Chor, der schwerverständliche Texte deklamiert. Der antike Bühnenraum ist karg und unflexibel.
20 Einen hohen Anspruch stellt auch der Inhalt des antiken Dramas: Es geht um die alten griechischen Mythen, Geschichten, die uns heute weitgehend unbekannt sind. Themen sind der Kampf zwischen Göttern und Menschen, Leben und Tod, Freiheit und Unterordnung, Recht und 25 Unrecht und die Macht des Schicksals, die den einzelnen Menschen immer wieder in lebenswichtige Entscheidungen drängt. Existenziell bedeutende Themen also, die in strenger formaler Anordnung auf der Bühne verhandelt werden. Die Akteure treten zumeist paarweise auf und 30 liefern sich Wortgefechte, in denen sie ihre kontroversen Positionen austragen. Eine Lösung im Sinne endgültiger Befriedung der verhandelten Probleme enthalten die Stücke nicht. Über das tragische Ende hinaus bleiben die Konflikte erhalten und provozieren immer wieder neue 35 Auseinandersetzungen.
Anders als heute war auch die Rezeption der Stücke: Das zeitgenössische Publikum erlebte die Theaterstücke ganz

unmittelbar und zog aus ihnen direkte Weisungen für das eigene Leben.
Fremdheit und Befremden mithin auf allen Ebenen. Erstaunlich ist es deshalb, dass die alten Texte über die Jahrtausende hinweg lebendig geblieben sind, ja, dass sie immer wieder eine neue Bearbeitung herausgefordert haben. Vor allem der Antigone-Stoff hat sich als Lieblingsstoff der Literatur erwiesen. Seine Nachbearbeitungen sind zahllos, die Lesarten variieren je nach dem Bewusstsein der historischen Gegebenheiten, wie der Überblick über die Antigone-Werke zeigt:
„In der Rezeptionsgeschichte des Antigone-Mythos bilden sich die historischen Veränderungen unterworfenen Frauenbilder ebenso ab wie die Entwicklung des Rechtsbewusstseins, insbesondere die Frage, worauf sich Recht gründet, auf Sittlichkeit oder auf göttliche Ordnung, auf gerechtes Handeln, das die Ordnung des Staates und das Wohl der Gemeinschaft respektiert, oder selbstgerechtes Handeln, das individuellen Impulsen und Neigungen folgt. (...) Das Motiv der Verbannung, Entfremdung und die absurde Situation, nur im Tod das eigene Leben und die eigene Individualität verteidigen zu können, hat eine große Anziehungskraft auf moderne Dichter und Schriftsteller ausgeübt."[1]
Besonders häufig ist der Antigone-Stoff während und nach dem Zweiten Weltkrieg bearbeitet worden. Der alte Konflikt zwischen Kreon und Antigone, zwischen Macht und individuellem Widerstand, wurde zum Modell für die politischen Verhältnisse. Antigone wurde zu Leitfigur des politischen Widerstands, die mutige Selbstbehauptung unter extremen Bedingungen einer Gewaltherrschaft zeigte.[2] Für diese Version stehen die Antigonen von Bertolt Brecht, der die „Antigone" in der Übersetzung von Höderlin bearbeitet hat, und die politischen Parabeln von Rolf Hochhuth und

---

1 Einen guten Überblick über die Rezeption des Antigone-Mythos stellt Hanna Rheinz zusammen. In: Antike Mythen und ihre Rezeption. Ein Lexikon. Herausgegeben von Lutz Walther. Reclam Leipzig, 2003, S. 32ff.

2 Achim Geisenhanslüke hat die Forschungslage sehr informativ zusammengefasst. In: Sophokles, Antigone. Interpretiert von Achim Geisenhanslüke. Oldenbourg Interpretationen, Bd. 92. München 1999, S. 20ff.

Elisabeth Langgässer. Eine besondere Bekanntheit erlangte die „Antigone" von Jean Anouilh, die in der Zeit der Besetzung Frankreichs durch die Deutschen Nationalsozialisten uraufgeführt wurde. Die politische Diskussion der 70er- und 5 80er-Jahre spiegelt sich in der kurzen Satire von Heinrich Böll, die im Zusammenhang mit dem Film „Deutschland im Herbst" (1977/78) entstand.[1]

Ebenso hat der Emanzipationsdiskurs der 70er- und 80er-Jahre den Antigone-Stoff rezipiert. Das Schwesternpaar 10 Ismene und Antigone repräsentiert zwei gegensätzliche Frauenmodelle: Ismene, die Folgsame und Angepasste, und Antigone, die Rebellische, Selbstbewusste, die gegen die patriarchalen Strukturen kämpft. „Wir brauchen Antigones, keine Ismenen", so noch kürzlich die Journalistin Susanne Gaschke 15 in der Wochenzeitung DIE ZEIT.[2] Aber nicht nur die politische und die feministische Interpretation der Figur Antigones beeindrucken uns heute. Es muss an der Geschichte der Antigone etwas sein, was gerade auch uns anspricht, weil es mit unseren Fragen und Problemen zu tun hat. Spiegelt sich in 20 ihrem Schicksal nicht das moderne Bewusstsein wider, das das Leben als widersprüchlich und voller Risiko erlebt?

Die Lektüre der „Antigone" bietet also zahlreiche Anknüpfungspunkte für Diskussionen im Unterricht. Der vorliegende Textband will mit dem Arrangement des originalen 25 Werkes von Sophokles und der modernen Rezeption Impulse für eine intensive Auseinandersetzung mit dem Thema geben. Wir hoffen so, den alten Text lebendiger werden zu lassen und die modernen Werke vor dem Hintergrund des Originals verständlicher zu machen. Zur Unterstützung der Arbeit wird 30 ein ausführlicher Anhang angefügt, der die zeitgeschichtlichen politischen und kulturellen Hintergründe des antiken Dramas beleuchtet und literaturgeschichtliche Erklärungen umfasst. Anleitungen und Tipps zur Dramen- bzw. Szenenanalyse sollen die selbstständige Auseinandersetzung mit den Texten 35 unterstützen.

Margret Behringer

---

[1] 11 Regisseure reagierten mit diesem Film auf den Schleyer-Mord, die Flugzeugentführung von Mogadischu und den Selbstmord von Baader, Ensslin und Raspe in Stammheim.

[2] Susanne Gaschke „Mehr Ehrgeiz, Schwestern". In: DIE ZEIT Nr. 51 vom 9.12.2004

Sophokles: Antigone

Aus dem Griechischen
von Heinrich Weinstock

Personen

KREON, *König von Theben*

EURYDIKE, *seine Gemahlin*

HAIMON, *beider Sohn*

ANTIGONE } *Töchter des Königs Ödipus*
ISMENE }

TEIRESIAS, *ein blinder Seher*

EIN WÄCHTER

EIN DIENER *des Kreon*

DER CHOR, *aus vornehmen thebanischen Greisen bestehend*

Der Schauplatz ist vor dem Palaste des KREON in Theben.

Prolog

Antigone und Ismene treten aus dem Palast.

ANTIGONE: Ismene, Schwesterherz, mir blutsverwandt,
Weißt du ein Leid, von Oidipus[1] vererbt,
Das Zeus Zeit unsers Lebens nicht erfüllte?
Nichts gibt's von Schmerzen, nichts von Schicksals-
schlägen,
5 Von Schmach und Schande nichts, ich hätt es denn
In deinem, meinem Leiden schon gesehn.
Und jetzt, was hat denn wieder allem Volk
Soeben künden lassen unser Kriegsherr[2]?
Vernahmst du's? Oder weißt du nicht, welch Leid
10 Sich unsern Lieben naht von unsern Feinden?[3]
ISMENE: Über die Unsern hab ich nichts erfahren;
Antigone, nichts Gutes, Schlimmes nichts,
Seit uns zwei Schwestern unsre beiden Brüder
Ein Tag entriss mit Doppelwechselmord.[4]
15 Und seit in dieser Nacht des Feindes Heer
Von Theben abzog, weiß ich weiter nichts,
Was glücklich mich, was elend mich gemacht.
ANTIGONE: Dies dacht ich mir, und darum hab ich dich
Vors Haus geführt, dass du allein es hörst.
20 ISMENE: Was ist? Du sinnst, scheint mir, ein finsteres Wort.
ANTIGONE: Hat nicht des Grabes Ehren unsern Brüdern
Hier zugebilligt, dort verweigert Kreon?
Eteokles, so heißt's, hat er begraben,
Nach heilig altem Recht und frommer Satzung
25 Teilhaftig ihn gemacht der Totenehren.[5]
Des Polyneikes armen Leichnam aber
Verbietet er den Bürgern öffentlich

---

1 Vgl. Anhang S. 70ff.
2 Kreon, ihr Onkel und das Bestattungsverbot (vgl. Anhang S. 73f.)
3 A. unterscheidet zwischen Kreon, dem Feind, und ihrer Familie.
4 Vgl. Anhang S. 73.
5 Die Seele Verstorbener findet erst Ruhe, wenn sie bestattet oder zumindest mit Erde bedeckt worden ist. Den Toten diesen Dienst zu erweisen ist religiöse Pflicht.

Im Grab zu bergen und ihn zu beweinen.
Als süße Beute, ohne Grab und Klage
30 Dien er den Vögeln, die den Fraß eräugen.
Der ehrenwerte Kreon lässt das dir
Und mir – mir auch, sag ich – verkündigen.
Gleich sei er hier, es denen, die's nicht wissen,
Deutlich zu sagen, und er nehm die Sache
35 Nicht für gering. Nein, wer sich hier verfehlt,
Der soll gesteinigt werden öffentlich.
So steht's. Nun zeig, ob edel du geboren,
Oder von edlem Stamm ein schlechtes Reis.

ISMENE: Unselige, steht dies so, was soll denn ich
40 Dazu tun? Kann's nicht lösen und nicht schürzen.

ANTIGONE: Willst Last und Tat du mit mir teilen, sprich!

ISMENE:
Von welchem Wagnis sprichst du? Worauf sinnst du?

ANTIGONE: Ob du den Bruder mir begraben hilfst.

ISMENE: Das willst du tun? Es ist der Stadt verboten.

45 ANTIGONE: Mein Bruder ist's, der deine![1] Willst du nicht,
Mich wird man des Verrats an ihm nicht zeihen.

ISMENE: O du Vermessne, Kreon hat's verboten![2]

ANTIGONE:
Er kann mich nicht an meinen Pflichten hindern.

ISMENE: O weh! Erinnere, Schwester, dich des Vaters,
50 Wie ruhmlos und wie ruchlos er verdarb,
Wie er ob selbstenthüllter Schuld die Augen,
Die beiden ausstach, selbst, mit eigener Hand.
Wie seine Mutter dann, sein Weib zugleich,
Das Leben schmachvoll durch den Strang sich nahm,
55 Und wie zuletzt noch unsere beiden Brüder
An einem Tag sich ein gemeinsam Los
Bereitet, einer durch des andern Hand!
Nun sind wir zwei allein noch da und finden
Den schlimmsten Tod, wenn dem Gesetz zum Trotz

---

[1] Gemeint ist: Es ist mein Bruder genauso, wie es auch deiner ist.

[2] Der grundlegende Konflikt des Dramas: Das Recht des Herrschers Kreon widerspricht dem Gesetz der Götter (Bestattungsgebot).

60 Der Herrscher Spruch und Macht[1] wir übertreten.
Bedenke, Schwester, dass wir Frauen sind
Und zu dem Kampf mit Männern nicht geschaffen.
Gehorsam ziemt uns hier und in noch Schlimmerm;
Wir sind ja doch von Stärkeren beherrscht.
65 Ich flehe zu den Toten in der Erde,[2]
Sie mögen mir verzeihn, man zwingt mich ja.
Ich füg mich denen, die am Steuer sind.
Maßlos zu handeln, hat doch keinen Sinn.[3]

ANTIGONE: Ich mag's nicht fordern, und wenn du es jetzt
70 Auch wolltest, wär's mir keine Freude mehr.
Sei, die du darfst[4], doch ich begrab den Bruder.
Sterb ich für solche Tat, so sterb ich gern,
Geliebt werd ich dann ruhn beim lieben Bruder.
Fromm ist mein Frevel[5]; denn ich muss doch länger
75 Gefallen denen drunt als denen hier.
Dort lieg ich ewig. Du, wenn's dir gefällt,
missachte, was den Göttern achtbar ist.

ISMENE: Auch ich missacht es nicht. Doch der Gewalt[6]
Des Staats zu trotzen, hab ich nicht die Kraft.

80 ANTIGONE: So nimm nur immer dies zum Vorwand. Ich
Geh hin, des liebsten Bruders Leib zu bergen.

ISMENE: O Ärmste, wie bin ich in Angst um dich!

ANTIGONE: Sorg nicht um mich! Acht auf dich selber nur!

---

1 das Recht des Herrschers, zu befehlen und Gehorsam zu verlangen

2 Gemeint sind die Unterirdischen. Ismene anerkennt deren Recht, sieht sich aber gezwungen, Kreons Befehl zu beachten.

3 Die Frage nach dem angemessenen, maßvollen Handeln ist ein zentrales Problem des Dramas (vgl. auch V. 47). Vermessenes Handeln wird verurteilt. Ein weiteres Leitmotiv ist die Frage nach dem Verstehen und der rechten Einsicht.

4 Gemeint ist: „... wie es dir richtig erscheint".

5 Oxymoron (Zusammenfügung zweier gegensätzlicher Begriffe): es spiegelt pointiert Antigones Lage wider (vgl. auch V. 111).

6 V. 78ff. Stichomythie (rhetorisches Mittel der sog. „Zeilenrede", wird häufig an dramatischen Stellen des Dialogs eingesetzt): Sie zeigt, dass die gegensätzlichen Positionen der beiden Schwestern unversöhnlich sind.

ISMENE: So lass doch niemand deine Pläne wissen.
85 Halt sie geheim. Auch ich will davon schweigen.
ANTIGONE: Oh! Rede nur! Dein Schweigen hasse ich
Noch mehr, als wenn du's allen laut verkündest.[1]
ISMENE: Welch heißes Herz! Und kalt sind doch die Toten!
ANTIGONE: Mein Herz gefällt, wem es gefallen muss.
90 ISMENE: Doch was du willst, geht über deine Kraft.
ANTIGONE: Sobald die Kraft versagt, mach ich ein Ende.
ISMENE: Man soll nicht jagen nach Unmöglichem.
ANTIGONE: Ist das dein Sinn, so bist du mir verhasst
Und wirst verhasst mit Recht dem Toten sein.
95 Doch mich und meine Torheit[2] lass ertragen
Das Ungeheure[3] all. Was mich auch trifft:
Ein schöner Tod ist immer mir gewiss.
ISMENE: So gehe, wenn du musst. Dein Weg der Torheit
Ist deinen Lieben doch ein Weg der Liebe.
Ismene in den Palast, Antigone nach der Seite ab[4]

Erstes Einzugslied

Chor

Strophe 1

100 CHOR: Strahl der Sonne, du schönster Glanz,
Wie die siebentorige Stadt[5]
Theben nie ihn zuvor erschaut,
Erschienst endlich, goldenen Tags
Augenlid, das sich hoch auftat

---

1 Schweigen vs. lautes Verkünden in der Öffentlichkeit: Antigone will dem Gesetz der Götter zu seinem Recht verhelfen.

2 Torheit vs. Vernunft: ein weiteres Leitmotiv des Dramas (vgl. auch V. 469f.)

3 hier bereits Anspielung auf das Thema des großen Chorliedes (V. 332, vgl. Anmerkung)

4 Trennung der beiden Schwestern auch räumlich (V. 98): Obwohl Ismene Antigones Entscheidung anerkennt, kann sie ihr nicht folgen. Insofern trennt sie „dein" von „mein" (98f.).

5 die Stadt Theben in Böotien

105 Ob der Dirke[1] strömenden Flut.
Und der Mann mit dem gleißenden Schild[2],
Schwer von Waffen dröhnt' er heran –
Hurtig in flüchtigem, hitzigem Lauf
Jagtest du ihn mit dem Zügel.
110 Polyneikes war's, der ihn gegen das Land,
Sich erhebend aus widrig kläffendem Streit,
Anführte. Doch der mit schrill kreischendem Laut
Wie ein Aar[3] kreist über dem Lande,
Von schimmerndem Schnee die Flügel bedeckt,
115 Ein Wogen von Waffen,
Aufblitzend die Spitzen der Helme.

Gegenstrophe 1

Hoch er[4] über den Dächern stand.
Blut'ger Lanzen Gebiss umklafft'
Thebens siebentorigen Schlund. –
120 Und floh, eh mit unserem Blut
Er den gierigen Rachen gestillt,
Eh der Türme strahlenden Kranz
Pechgenährtes Feuer[5] ergriff.
Solch Getümmel erhob sich da
125 Hinter dem Adler: dem hielt er nicht Stand:
Sieg des Drachens[6] von Theben!

Zeus[7] hasst ja des Großmauls prahlendes Wort
Unbändig, und als er sie wogen sah
Mit mächtigem Schwall, in vermessenem Stolz

[1] Gemahlin des thebanischen Königs Lykos, die von Dionysos in eine Quelle verwandelt wurde.
[2] Adrast, Schwiegervater des Polyneikes (vgl. Anhang S. 69)
[3] Der Adler mit weißen Schwingen kennzeichnet die Größe der Gefahr. (Vgl. Sophokles: Antigone. Übersetzt und herausgegeben von Norbert Zink. Stuttgart: Reclam 1981, S. 112)
[4] Adrast
[5] Hephaistos, der Gott des Feuers
[6] Anspielung auf die Drachenzähne, die Kadmos, der Gründer Thebens, gesät hatte (vgl. Anhang S. 69)
[7] oberster Herrscher der griechischen Götter, Beschützer der Stadt Theben

130 Auf ihre goldklirrende Rüstung –
Da traf sein Strahl den ersten, der schon
Auf den Zinnen sich hob[1],
Den jauchzenden Siegruf zu schmettern.

Strophe 2

Krachenden Falls auf das hallende Blachfeld[2] fiel der
135 Fackelschwingende Mann, der mit tobendem Ansturm
Wahnbetört gen uns anschnob
Eine Lohe von glühendem Hass.
Anders ging's als gedacht.
Anderes fiel anderen zu. Denn sie zerstampft Ares[3]
140 gewaltig,
Mächtigster Helfer.

Die Sieben um sieben Tore gestellt,
Gleich gegen Gleich. Doch sie ließen die Wehr
Dem Lenker der Schlachten als ehernen Preis.
Nur die beiden voll Hass, die ein Vater gezeugt,
Eine Mutter gebar, die bereiteten sich
145 Mit dem zwiefachen siegreichen Stoße des Speers
Das gemeinsame Schicksal des Todes[4].

Gegenstrophe 2

Aber es kam ja die hochgepriesene Nike[5],
Theben, dem wagenberühmten, entgegenjauchzend.
150 Lasst den Krieg und den Graus
Jetzt auf ewig vergessen sein!

---

1 Nach Zink ist Kapaneus, der Agiverfürst, gemeint, der bereits die Mauern der Stadt bestiegen hatte und ausrief, nicht einmal der Blitz des Zeus werde ihn vertreiben (vgl. Zink, a.a.O., S. 132).
2 veraltet für „flaches Land"
3 Kriegsgott, Sohn des Zeus und der Hera
4 Bruderkampf zwischen Eteokles und Polyneikos mit tödlichem Ausgang (vgl. Vorgeschichte)
5 Siegesgöttin; auf Abbildungen trägt sie Flügel und hält einen Siegeskranz in Händen.

Auf im Tanz durch die Nacht
Tempelhinein lasset uns ziehn! Er, der die Stadt
Schütternd bewegt, Bakchos[1], sei der Führer!

155 Doch – Kreon, seht! des Menoikeus Sohn[2],
Der neue Herr, den zum Herrscher der Stadt
Durch neues Geschick die Götter bestimmt,
Er naht. Was wälzt er in seinem Gemüt?
Dass er zur Versammlung schon hergebot
160 Der Ältesten Rat,
Durch Heroldsstimme geladen?

Erster Auftritt

Kreon tritt auf

KREON: Ihr Männer, nun die Götter unsre Stadt,
Das sturmgepeitschte Schiff[3], neu aufgerichtet,
Hab euch vor allen Bürgern ich berufen.
165 Wohl weiß ich ja um eure alte Treue,
Mit der ihr dem Geschlecht des Laios[4] dientet
Und dann, als Oidipus der Stadt gebot.
Und auch nach seinem Tod habt ihr den Söhnen
Die alte Treu im Herzen fest bewahrt.
170 Da nun an einem Tag dasselbe Los
Sie beide traf und einer durch den andern
In gräuelvollem Brudermord gefallen,
So hab jetzt ich von ihnen Thron und Reich
Als ihres Hauses nächstes Glied[5] geerbt.

---

[1] Dionysos: der Gott des Weines und der Extase, oberste Gottheit der griechischen Welt, jüngster der großen griechischen Götter; aus der Hüfte des Zeus geboren, wird besonders in Theben, seiner Geburtsstadt verehrt. Aus den extatischen Kultfeiern des Dionysos entwickelte sich das griechische Theater.

[2] Vgl. Anhang S. 69.

[3] Bild vom Staat als Schiff (vgl. auch V. 189)

[4] Vater des Ödipus (vgl. Anhang S. 69)

[5] Kreon bezeichnet sich als rechtmäßigen Herrscher.

175 Nun ist's unmöglich, eines Mannes Art[1]
Und Geist zu kennen, eh er sich im Amt,
Herrschaft ausübend und Gesetz, erprobt.
Doch wer zum Lenker einer Stadt bestellt
Und nicht den besten Rat ergreift und festhält,
180 Sondern aus Furcht den feigen Mund verschließt,
Der schien mir je und nun ein schlechter Fürst;
Und wem der Freund mehr als das Vaterland[2],
Der scheint nichtswürdig mir vor allen andern.
Ich schwör's bei Zeus, der alles weiß und schaut,
185 Nie könnt ich schweigen, wenn das Vaterland
Je Unheil überkäme statt des Heils.
Und nimmer soll des Vaterlandes Feind
Je Freund mir heißen; weiß ich doch gewiss:
Der Staat ist unsre Planke auf der See;
190 Nur wenn die hält, kann es auch Freunde geben.
Nur wer so handelt, wahrt des Staates Macht.
Und eben darum habe ich bestimmt,
Was mit den Königssöhnen nun geschieht[3].
Eteokles, der für die Heimat kämpfend
195 Den Tod in tapfrer Gegenwehr erlitt,
Er wird bestattet, wie es Helden ziemt,
Mit einem Grab und allen heiligen Weihen.
Sein Bruder aber, Polyneikes, der
Vom Bann heimkehrte, seiner Heimat Land
200 Und seiner Heimat Götter zu vertilgen
Mit Feuer, er, der kam, in Bruderblut
Zu schwelgen, euch ins Sklavenjoch zu beugen,
Den soll, so hat's der Herold schon verkündet,
Niemand begraben, niemand auch beklagen;
205 Nein, unbestattet lieg er da, ein Fraß
Den Vögeln und den Hunden, nackt und bloß[4].

---

1 Kreon legt im Folgenden (V. 175ff.) die Grundsätze seiner Regierung dar.

2 Kreons unbedingtes Bekenntnis zum Vaterland

3 Kreons Anordnung die beiden Brüder betreffend: Er bestimmt Eteokles zum Helden, Polyneikos zum Verräter.

4 Bezug auf das Bestattungsverbot und die Konsequenzen bei Zuwiderhandlung

Nun kennt ihr meinen Willen. Nimmer soll
Der Schuft geehrt sein vor dem Redlichen.
Wer aber wohlgesinnt der Stadt, der soll
210 Im Leben wie im Tod von mir geehrt sein.
CHORFÜHRER: Sohn des Menoikeus, Kreon, dir gefällt's,
Also zu tun dem Gegner und dem Freunde.
Gesetz und Recht zu üben steht bei dir,
Gilt es den Toten, gilt's den Lebenden.
215 KREON: So sorget denn, dass mein Gebot erfüllt wird.
CHORFÜHRER: Die Sorge lade jüngern Schultern[1] auf.
KREON: Des Toten Wächter hab ich schon bestimmt.
CHORFÜHRER: Was hast du dann noch weiter zu befehlen?
KREON: Nicht irgend beizustehn dem Ungehorsam!
220 CHORFÜHRER: Wo ist der Tor, den's nach dem Tode lüstet?
KREON: Ja, dieses wär sein Lohn! Doch manchen zog
Gewinnsucht[2] schon hinunter in den Abgrund.

Ein Wächter[3] tritt auf.

WÄCHTER: Herr, ich behaupte nicht, dass ich vor Eile
Schwer schnaufend komme her mit hurtigem Fuß.
225 Ich musste Sorgenstationen machen
Und drehte unterwegs mich oft nach rückwärts.
Denn meine Seele sprach mir immerzu:
Unseliger, gehst du selbst dir ins Gericht?
Unglücklicher, du bleibst? Erfährt das Kreon
230 Von einem andern, wird's dein Buckel zahlen.
Das wälzend bin ich da in Eil mit Weile.[4]
Sodanach wird ein kurzer Weg dir lang.
Doch hielt die Oberhand: zu dir zu gehn;
Brächt ich ein Nichts auch, dies zu bringen doch.

---

1 Der Chor reagiert zurückhaltend. Zu diesem Zeitpunkt hat Antigone bereits das Gebot übertreten.
2 Kreon denkt nur an materielle Berechnung als Motiv für den Ungehorsam. Er fürchtet den Umsturz (vgl. auch V. 294, V. 303).
3 Wächter, eine Figur der griechischen Komödie (Zink, a.a.O. S. 114)
4 „Mit solchen Überlegungen legte ich trödelnd und langsam den Weg zurück." (Übersetzung: Zink, a.a.O., S. 25)

235 So kam ich, klammernd mich an diese Hoffnung:
Mich kann nur treffen, was mich treffen muss.
KREON: Was ist's denn, das dir so den Mut benimmt?
WÄCHTER: Vor allem lass mich von mir selber reden:
Ich war es nicht, ich weiß auch nicht, wer's war.
240 Nicht recht wär's, müsste ich drum Böses leiden.
KREON: Wie klug sich dieser Bursche ringsum deckt!
Ich merk es wohl, dass er nichts Gutes bringt!
WÄCHTER: Ja, eine schlimme Sache macht uns bang.
KREON: Wird's endlich? Und dann schere dich von dannen!
245 WÄCHTER: Nun denn heraus damit: die Leiche hat
Soeben wer begraben, sie bedeckt,
Mit Opferguss[1] geweiht – und ist verschwunden.
KREON: Was sagst du, Mann? Wer hat sich das erfrecht?
WÄCHTER: Ich weiß nicht. Weder Beilhieb war zu schaun,
250 Noch einer Schaufel Spur. Fest war ringsum
Und ohne Riss der Boden, unbefahren
Von Rädern; und vom Täter nichts zu sehn.
Als der es, dem die erste Wache morgens
Zufiel, uns zeigte, fasst' uns Schreck und Grauen.
255 Er war mit Sand beworfen, nicht begraben,
Als wollte man sich vor der Sünde sichern.
Auch keines Hundes, keines Raubtiers Fährte,
Das etwa da gescharrt, war zu erblicken.
Da fielen böse Worte bald, ein jeder
260 Beschuldigte den andern, fast gab's Schläge,
Denn keiner war zur Hand, der dem gewehrt,
Da jeder selber im Verdachte war.
Doch keinem konnte man etwas beweisen.
Man war bereit, durchs Feuer drum zu gehen,
265 Ein glühend Eisen in der Hand zu tragen,
Dass keiner es begangen, und dass keiner
Mit einem andern drob im Bunde war.
Zuletzt, als alles Suchen doch umsonst war,

1 „Auf den Leib streute er trockenen Staub und brachte Spenden, wie es sich gehört." (Übersetzung: Zink, a.a.O., S. 25)

Da sagte wer ein Wort, darob wir alle
270 Die Köpfe hängen ließen tief zu Boden.
Denn keiner konnte was dagegen sagen,
Doch wusste keiner, wie das gutgehn sollte.
Der Mann schlug vor, wir müssten dir, o Herr,
Das Ganze unverhohlen melden gehn.
Sein Wort drang durch, und mich, mich Unglücksmann
275 Erwischt' das Los, dies „Glück" mir zu gewinnen.
Da bin ich, ungern und nicht gern gesehn;
Liebt niemand doch den Boten böser Kunde.

CHORFÜHRER: O Herr, schon lang erwäget mir mein Herz,
Ob nicht die Gottheit hier am Werke war.[1]

KREON:
280 Schweig, dass dein Wort mich nicht zum Rasen bringt.
Und du, so alt, noch als ein Narr dich zeigst.
Das ist ja unerhört: die Götter sollen
Besorgen grade diesen, diesen Toten!
Im Überschwang von Ehre bargen sie
285 Wohl ihren frommen Knecht, der zu verbrennen
Die Säulentempel kam mitsamt den Schätzen!
Zerstörer ihres Lands, ihrer Gesetze!
Ja, wo erhöhen denn die Götter Böse?
Niemals! Doch schon murren in der Stadt
290 So manche wider mein Gebot und schütteln
Geheim die Köpfe, weil den Nacken sie
Nicht beugen wollen in das Joch der Pflicht.
Sie sind es, ich durchschau es klar und deutlich,
Die diese da mit Gold dazu verführt[2].
295 Oh, nichts trug solch ein Unheil in die Welt
Als Gold! Die Städte stürzt es in den Staub,
Die Menschen treibt es weg von Haus und Herd,
Des Mannes Sinn betört's mit arger Lehre
Und bringt den Guten selbst zu böser Tat.
300 Zu Schurkerei treibt es den Menschen an,
Es lehrt ihn jede gottvergessne Tat –

---

1 Deutung der Tat als Gotteswerk im Sinne konventioneller Theologie (vgl. Zink, a.a.O., S. 224)

2 Kreon glaubt an Bestechung und Verschwörung (vgl. auch V. 222).

Indes zuletzt trifft doch die Strafe jeden,
Der um des Goldes willen solches tut.[1]
Nein, wenn noch Gottesfurcht mein Herz erfüllt,
305 So sag ich dir und schwöre es dir zu:
Wenn ihr den Buben, der die Tat getan,
Nicht heut noch findet und ihn vor mich führt,
So sollt ihr nicht bloß sterben, nein, ihr sollt
Ans Kreuz lebendig, bis ihr mir gesteht
310 Und lernt, wo ihr Gewinn zu suchen habt;
Dass es nicht frommt, aus allem Geld zu schlagen!
Das wisset wohl: die schmutzige Gier nach Geld,
Sie bringt dem Menschen eher Leid als Glück.

WÄCHTER: Darf ich ein Wort noch, oder: kehrtum ab?
315 KREON: Merkst du denn nicht, wie dein Geschwätz zuwider?
WÄCHTER: Hat's dich ins Ohr, hat's dich ins Herz gebissen?
KREON: So fein zergliederst du den Ort des Ärgers?
WÄCHTER: Der Täter kränkt das Herz, ich nur die Ohren.[2]
KREON: Was für ein Schwätzer ist mit dir geboren!
320 WÄCHTER: Indes der Täter dieser Tat – niemals!
KREON: Auch das! Für Geld verkauftest du dein Leben.
WÄCHTER: Wie schlimm,
Dass auch Maßgebende sich arg vermessen!
KREON: Spitzfindele mit dem Maß nur! Bringt ihr mir
325 Den Täter nicht herbei, so sollt ihr lernen:
Feiler Gewinn schafft anders nichts als Leiden.

Ab

WÄCHTER: Fänd man ihn, wär's mir recht. Doch ob man ihn
Erwischt, ob nicht – das wird das Glück entscheiden.
Doch mich wirst nimmer hier du vor dir sehn.

---

1 Kreons Begrenztheit: Er kann nur an ein materielles Motiv für die Tat denken. Antigones Motiv ist ihm unvorstellbar, darin erweist sich seine Torheit (Leitmotiv).

2 Wortspiele des Wächters; sie offenbaren in ihrer Doppeldeutigkeit die Wahrheit, die Kreon nicht versteht (vgl. V. 320).

330 Indes schon jetzt, ganz wider mein Erwarten
Gerettet, schuld ich heißen Dank den Göttern.

Ab

Erstes Standlied

Chor

Strophe 1

CHOR: Ungeheuer ist viel, doch nichts
Ungeheuerer als der Mensch.[1]
Durch die grauliche Meeresflut,
335 Bei dem tobenden Sturm von Süd,
Umtost von brechenden Wogen,
So fährt er seinen Weg.
Der Götter Ursprung, Mutter Erde,
Schwindet, ermüdet nicht. Er mit den pflügenden,
340 Schollen aufwerfenden Rossen die Jahre durch
Müht sie ab, das Feld bestellend.

Gegenstrophe 1

Sorgloser Vögel Schwarm umstellt
Er mit garngesponnenem Netz.
Und das Wild in all seiner Art,
345 Wie des salzigen Meeres Brut,
Er fängt's, der List'ge, sich ein,
Der überkluge Mann.
Beherrscht durch Scharfsinn auch der Wildnis
350 Schweifendes Tier und er zähmt auch die mähnigen
Rosse mit nackenumschließendem Jochholz,
Auch den unbezwungnen Bergstier.

---

1 Erstes Standlied des Chors: einer der berühmtesten Texte der Weltliteratur. Sein Thema: Seine „ungeheure" Größe zeigt der Mensch als Bezwinger der Natur und der Elemente; groß sind auch seine Errungenschaften: Sprache, Denken, Sozialisation. Nur vor dem Tod muss der Mensch kapitulieren.

Strophe 2

Das Wort wie den windschnellen Sinn,
355 Das Thing[1], das die Staaten gesetzt,
Solches bracht er alles sich bei und lernt auch,
Dem Frost da drauß zu entgehn,
Sowie des Sturms Regenpfeil.
360 Rat für alles weiß er sich, und ratlos trifft
Ihn nichts, was kommt. Nur vorm Tod
Fand er keine Flucht. Doch sonst
Gen heillos Leiden hat er sich
Heil ersonnen.

Gegenstrophe 2

365 Das Wissen, das alles ersinnt,
Ihm über Verhoffen zuteil,
Bald zum Bösen und wieder zum Guten treibt's ihn.
Wer treulich ehrt Landesart
Und Götterrecht, dieser steht
370 Hoch im Staat. Doch staatlos, wer sich zugesellt
Aus Frevelmut[2] bösen Sinn.
Nie sei der mein Hausgenoss
Und nie auch meines Herzens Freund,
375 Der das waget.[3]

Antigone wird von dem Wächter herbeigeführt.

CHORFÜHRER: O Schrecken! Ich trau meinen Augen nicht.
Ich kenne sie doch und kann darum nicht
Bestreiten, dass dies Antigone ist.
Unselige du
380 Und eines unseligen Vaters Kind!
Was soll das? Man führt dich gefangen daher,
Weil ungehorsam gen Königsgebot.
Du ergriffen bei törichtem Treiben?

---

1 In germanischer Zeit Volksversammlung; gemeint ist die Kraft, die den Menschen zur Bildung von Staaten treibt (Zink übersetzt „staatenlenkenden Trieb", a.a.O., S. 33).

2 aus Wagemut unrecht handeln

3 Der Chor denkt an einen unbekannten Täter. Sein Wort trifft aber implizit auf Kreon (nicht auf Antigone) zu.

Zweiter Auftritt

Der Wächter mit Antigone

WÄCHTER: Die ist es, diese, die es hat begangen.
385 Wir fassten sie dabei. Doch wo ist Kreon?
CHORFÜHRER: Dort tritt er grad zur rechten Zeit heraus.

Kreon kommt aus dem Palast.

KREON: Was gibt's? Wozu komm ich zu rechter Zeit?
WÄCHTER:
Herrscher, der Mensch soll niemals sich verschwören;
390 Denn Lügen straft die zweite Sicht die erste.
Nicht herzukommen hatt ich mir gelobt
Von wegen deines Drohns, das auf mich prasselt'.
Indes, die Freude wider jede Hoffnung,
Der gleicht an Größe keine andre Lust.
395 Da bin ich, ob durch Eide auch verschworen,
Mit diesem Mädchen, die erwischt, als sie
Das Grab besorgt'. Da gab's kein Los zu schütteln.
Nein, mein ist dieser Fund und keines andern.
Und jetzt, Herr, nimm du sie nach deinem Willen
400 Und untersuch und überführ! Ich – frei
Bin ich nun Rechtens, ledig dieser Schuld.
KREON: Die bringst du? Wie und wo ergriffst du sie?
WÄCHTER: Sie hat den Mann begraben: das sagt alles.
KREON: Bist du des auch gewiss? Besinne dich!
405 WÄCHTER: Mit eignen Augen sah ich sie den Mann
Bestatten gegen dein Gebot; war's deutlich?
KREON: Wie habt ihr sie gesehen, wie gefasst?
WÄCHTER: Hör zu, wie das geschah. Als ich zurückkam,
Von deinem Zorn so grauenvoll bedroht,
410 Da fegten wir den Sand fort von der Leiche,
Sodass sie modernd wieder ganz enthüllt war.
Dann setzten wir uns hin auf einen Hügel,
Wo uns der Wind den Leichenruch nicht zublies,
Und spornten dort uns an zur Wachsamkeit
415 Und schalten, wenn sich einer lässig wies.
Dies währt' so lange, bis der Sonnenball

Die Strahlen glühend aus des Äthers Mitte
Senkrecht herniederschoss. Da plötzlich steigt
Ein Wirbelwind vom Boden auf zum Himmel,
420 Stürmt durch die Ebene, entlaubt die Bäume
Und füllt mit Staubgewölk ringsum die Luft,
Sodass wir blinzelnd unsre Augen schlossen.
Als endlich dann die Windsbraut sich gelegt,
Sahn wird das Mädchen bei dem Toten stehn,
425 Schrill schreiend wie ein Vogel, der in Not
Leer sieht sein Nest und seine Brut geraubt.
So klagt'[1] auch diese vor der nackten Leiche
Und fluchte eine schaurige Verwünschung
Auf die herab, die ihr dies angetan.
430 Dann streut' sie auf den Toten durstigen Sand
Und goss aus schönem, erzgetriebenem Krug
Dreimal die heilige Opferspende aus.
Und wir, kaum dass wir's sahn, wir stürzten vor,
Ergriffen sie, die keineswegs erschrak,
435 Und warfen ihr die beiden Taten vor.
Und sie gestand die eine wie die andre.
Mir ist's erfreulich und betrüblich auch.
Dass selber man aus Not entwischt, ist sicher
Erfreulich. Doch in Not zu bringen, die
440 Man liebt, das ist betrüblich. Nun, das war
Gering zu achten vor der eignen Rettung.

KREON *zu Antigone*:
Du, die das Haupt du niedersenkst zur Erde,
Gestehst du dein Vergehen oder nicht?

ANTIGONE: Ja, ich bekenne, und ich leugne nicht.

KREON *zum Wächter*:
445 So bist du frei, kannst hingehn, wo du willst!
Schweren Verdachtes bist du los und ledig.

Wächter ab

KREON *zu Antigone*:
Du sprich, doch ohne Umschweif, kurzgefasst,
War dir der Ausruf des Verbotes klar?

ANTIGONE: Wie sollt er nicht? Er war ja laut genug.

---

1 rituelle Handlungen bei der Bestattung: Bestreuen mit Erde, Totenklage und Grabspende

KREON: Du wagtest, mein Gebot zu übertreten?
450 ANTIGONE: War's doch nicht Zeus, der dieses mir geboten,
Noch Dike[1], hausend bei den untern Göttern,
Die dies Gesetz festsetzten unter Menschen.
Auch hielt ich nicht für so stark dein Gebot,
Dass Menschenwerk vermöcht zu überholen
455 Das ungeschriebene, heilige Recht der Götter.
Denn nicht von heute oder gestern, ewig
Lebt dieses ja, und keiner weiß, seit wann.
Um dieses wollt ich nicht in Strafe fallen
Bei Göttern, nur aus Angst vor Menschenwitz.
460 Dass Tod mein Menschenlos, das wusst ich so,
Auch wenn du's nicht verkündet. Sterb ich vor
Der Zeit, so gilt mir das nur als Gewinn.
Denn wer so heimgesucht vom Leid wie ich,
Für den ist früher Tod nichts als Erlösung.
465 Dass mich der Tod trifft, das ist mir nicht schmerzlich,
Doch hätt ich meiner eignen Mutter Sohn
Als Leiche unbestattet liegen lassen,
Das wär ein Schmerz! Doch dieses schmerzt mich nicht.
Schein ich mit meinem Tun dir eine Närrin[2],
470 So zeiht, dünkt mich, ein Narr der Narrheit mich.
CHORFÜHRER: Des Vaters stolzen Sinn hat sie geerbt.
Not beugt die starke Seele nicht, noch Unglück.
KREON: Gebt Acht, der starre Trotz sinkt rasch dahin,
Wie eines Stahles sprödgeglühte Härte
475 Zu allererst in Stücke bricht und Splitter.
Mit kurzem Zügel wird der Übermut
Der Rosse schnell gebändigt. Denn es ziemt
Kein Hochmut dem, der Diener ist im Haus.
480 Doch die verstand sich schon auf Übermut,
Als sie mein öffentlich Gebot verletzt.
Und Übermut zum Zweiten ist's, dass jetzt
Sie mit der Tat sich brüstet und mich höhnt.
Ich wär nicht mehr der Mann, der Mann wär sie,

1 Als Göttin des Rechts sendet sie die Erinnyen (Furien), die Freveltaten zu rächen.
2 Leitmotiv. Torheit vs. Einsicht; Antigone spricht Kreon das rechte Verständnis ab (vgl. V. 95).

485 Wenn solche Tat ihr ungeahndet bliebe.
Nein! Sei sie meiner eigenen Schwester Kind,
Ja mög sie nähern Bluts mir sein als alle,
Die mir an meinem Herde Zeus beschirmt,
Nicht sie, nicht ihre Schwester soll entgehn
Dem schlimmsten Los. Denn die auch klag ich an,
490 Dass sie an dem Begräbnis mitgeplant.
Auch die hat Rat und Teil an ihrem Frevel.
Ruf sie heraus! Noch eben sah ich sie
Das Haus durchirren mit verstörtem Antlitz.
Es pflegt ja das Gewissen zu verraten,
Wo Böses dunkel angesponnen wird.
495 Doch die hass ich am meisten, die der Tat,
Mit dreister Stirne trotzend, noch sich rühmt!
ANTIGONE: Hast du mit meinem Tod noch nicht genug?
KREON: Vollauf genug! Doch den sollst du mir leiden.
ANTIGONE: Was säumst du also? Wie mir deine Worte
500 Nicht jetzt noch fürder je erfreulich sind,
So müssen auch die meinen dir verhasst sein.
Wie aber sollte ich mir edleren Ruhm
Erwerben, als indem ich meinen Bruder
Ins Grab gesenkt. Auch diese[1] würden's loben,
505 Wenn nicht die Furcht die Lippen ihnen schlösse.
Doch hat Tyrannenmacht zu anderem Glück noch dies,
Dass sie darf tun und reden, was sie will.
KREON: Allein vom ganzen Volke denkst du so.
ANTIGONE: Nein, diese auch; nur duckt man hündisch sich.
510 KREON: Du schämst dich nicht, dass du allein so denkst?
ANTIGONE: Ist das denn Schande, eignes Blut zu ehren?
KREON: War denn, der von ihm fiel, nicht deines Blutes?
ANTIGONE: Ein Blut, von einem Vater, einer Mutter.
KREON: Wie kannst du, jenen ehrend, diesen schänden?
515 ANTIGONE: Zustimmung findet das nicht bei dem Toten.
KREON: Doch! Wenn du ihn gleichstellst mit diesem Frevler.
ANTIGONE: Kein Knecht, sein ebenbürtiger Bruder war's!
KREON: Doch Feind des Landes, der indes sein Schirm.

---

[1] Gemeint ist der anwesende Chor (vgl. auch V. 509).

ANTIGONE: Doch Hades will nur gleiches Recht für alle.
520 KREON: Doch nicht für Gut und Böse gleiches Recht!
ANTIGONE: Wer weiß, ob drunten diese Ordnung gilt?
KREON: Nein! Hass wird selbst im Tode nicht zu Liebe.
ANTIGONE: Nein! Hass nicht, Liebe ist der Frau Natur.[1]
KREON: Lieb drunten, wenn geliebt sein muss, sie beide!
525 Solang ich lebe, soll kein Weib regieren.

Ismene wird herausgeführt.

CHORFÜHRER: Da sieh aus dem Tor Ismene sich nahn,
Ihr schwesterlich Auge mit Tränen gefüllt.
Ein trübes Gewölk um die Brauen entstellt
Ihr glühend Gesicht
530 Und betaut die liebliche Wange.
KREON *zu Ismene*:
Du, die wie eine Natter mir am Herzen lag,
Geheim mein Blut aussaugte, dass ich harmlos
Zwei Feinde aufzog mir und meinem Thron,
Bekennst du, dass an dieser Missetat
535 Du Teil hast, oder schwörst du rein zu sein?
ISMENE: Was diese tat, ich tat's mit ihr zusammen.
Ich habe gleichen Teil an Tat und Schuld.
ANTIGONE: Das ist nicht Rechtens, denn du wolltest nicht,
Und ich hab keinen Anteil dir gewährt.
540 ISMENE: Doch jetzt im Unglück fürchte ich mich nicht
Und fahre deine Leidensfahrt mit dir.
ANTIGONE: Wes Tat es war, weiß nur die Unterwelt.
Die nur mit Worten lieben, lieb ich nicht.
ISMENE: Halt mich für unwert nicht, mit dir zu sterben
545 Als Weiheopfer für des Bruders Grab.
ANTIGONE: Du sollst nicht mit mir sterben. Dein ist nicht,
Was niemals du berührt. Mein Tod genügt.
ISMENE: Was gilt mir noch das Leben ohne dich!
ANTIGONE: Frag Kreon, denn um ihn hast du gesorgt.

---

[1] Antigones berühmte Worte. Es gibt verschiedene Übersetzungen dieser Stelle, z. B.: „Mitlieben, nicht mithassen ist mein Teil" (Kuchenmüller); „Nicht um Feind, nein um Freund zu sein, ward ich geboren" (Zink, a.a.O., S. 45).

550 ISMENE: Was kränkst du mich so bitter, ach, so nutzlos!
ANTIGONE: Es tut mir weh, wenn höhnisch ich dich höhne.
ISMENE: Was kann ich anders denn für dich noch tun?
ANTIGONE: Denk an dich selbst. Ich gönne dir dein Leben.
ISMENE: Weh mir, so darf ich dein Geschick nicht teilen?
555 ANTIGONE: Du wähltest dir das Leben, ich den Tod.
ISMENE: Du weißt sehr wohl, warum ich das getan.
ANTIGONE: Du suchtest Beifall hier, ich aber dort.
ISMENE: Nun aber ist uns beiden gleich die Schuld.
ANTIGONE: Getrost, du lebst; doch meine Seele ist
560 Längst tot und kann nur noch den Toten frommen.
KREON: Wahnsinnig sind die beiden Mädchen! Die
Seit eben erst, die andere schon von Kind an.
ISMENE: Es bleibt selbst angeboren klarer Sinn
Im Leid nicht fest, gerät oft außer sich.
565 KREON: Der deine ja, seit du im Bund mit Bösen.
ISMENE: Was ist das Leben ohne sie, allein?
KREON: Nenn sie nicht weiter, denn sie ist nicht mehr.
ISMENE: Du willst die Braut des eignen Sohnes töten?
KREON: Es gibt noch andre Felder zu bepflügen.
570 ISMENE: Doch nicht, wie er und sie verbunden sind.
KREON: Ich will kein schlechtes Weib für meinen Sohn.
ANTIGONE: So, lieber Haimon, schmäht dein Vater dich!
KREON: Ich hab genug von dir und deinem Bett[1].
CHORFÜHRER:
Du willst den eignen Sohn der Braut berauben?
575 KREON: Der Tod ist's, der die Ehe bald beendet.[2]
CHORFÜHRER: Entschieden ist, so scheint es, dass sie stirbt.
KREON: Bei dir und mir! Nun nicht mehr lang gezögert!
Führt sie ins Haus und lasst sie nicht mehr frei!
Gebunden müssen diese Weiber sein.
580 Denn auch der Freche wendet sich zur Flucht,
Wenn er den sichern Tod vor Augen sieht.

Antigone und Ismene werden abgeführt.

1 dein Ehebett: deine Ehe
2 tragische Ironie bezogen auf das Ende des Dramas

Zweites Standlied

Chor

Strophe 1

CHOR: Glückselig, wer niemals im Leben Leid gekostet!
Wenn ein Gott erschüttert ein Haus, unaufhörlich
585 Wirkt der Fluch, von Geschlecht zu Geschlecht fort-
Gleichwie des Meeres Wogenschwall [schleichend,
Braust im bösen Wind von Nord,
Der mächtig wirbelnd jaget dahin die salz'ge Flut,
590 Und tief, tief wühlt er auf
Den Meersand dicht und schwarz,
Vom Sturm gejagt.
Es stöhnt und ächzt die flutgepeitschte Küste hin und
wider.

Gegenstrophe 1

Ich sehe das uralte Haus der Labdakiden[1]
595 Schwinden hin, geschlagen von Jammer und Jammer.
Ein Geschlecht nach dem anderen, endlos stürzt es
Von Gottes unversöhnter Hand.
War erschienen schon ein Licht
600 Dem letzten Blütenreis vom Stamme des Oidipus.
Nun löscht's aus, blutigrot,
Sand, aufs Grab gestreut
Nach Totenrecht, und blinder Toren Sinn und Gier nach
Rache.

Strophe 2

Denn, Zeus, wer von den Menschen kann
605 Deine Macht übertretend trotzen?
Nein auch nicht der Schlaf zwingt sie, der Allum-
garner,
Auch nicht der Monde Wechsel.
Ewiger Herr, siehe, du hältst in Händen

1 Vorstellung vom Geschlechterfluch, der über dem Haus des Labdakos, des Großvaters von Ödipus, hängt (vgl. Anhang S. 70ff.)

Des Olympos Veste[1],
610 Strahlend im Marmorglanze.
Und so gilt in alle Zukunft,
Gleich wie in der alten Zeit
Dies Gesetz: Es ist kein
Glück rein uns beschert, welches der Fluch nicht träfe.

Gegenstrophe 2

615 Denn ausschweifend die Hoffnung ist,
Oft dem Menschen zum Heil, doch öfter
Leichtfertigem Wunsch trügerisch falsche Lockung.
Ach, und man spürt's nicht eher,
Bis man den Fuß heiß an der Glut versengt hat.
620 Ein berühmtes Wort aus
Wissendem Munde lautet:
Es erscheint schnell gut, was schlecht ist,
Dem, welchem ein Gott das Herz
In Verblendung führte.
625 Ach, kurz ist die Frist, dass ihn verschont das Unheil.

CHORFÜHRER: Sieh Haimon dort, den Jüngsten des Stamms!
Wie tief bekümmert kommt er daher
Wohl um der Verlobten unseliges Los
Und um seiner Ehe Zerstörung?[2]
630 KREON: Das wissen wir bald klarer als die Seher!

Dritter Auftritt

Haimon tritt auf.

KREON: Du kennst, mein Sohn, den Spruch gen deine Braut.
Sprich, grollst du oder darf ich wohl erwarten,
Du seist, was ich auch tue, stets für mich?

---

1 veraltet für Festung
2 „[...] über den Betrug an seiner Ehe rasend?" (Übers. Zink, a.a.O., S. 53)

635 HAIMON: Dein bin ich, Vater. Immer folg ich gern,
Führst du mich weise, richte mich danach.
Und nimmer gilt ein Ehebund mir mehr
Als Rat von dir, der guten Weg mich führt.
KREON: So ist es recht, mein Sohn, das halte fest,
640 Dass du den Vater höher stellst als alles.[1]
Deshalb erbeten Männer sich ja Kinder,
Dass sie gehorsam ihnen sind im Haus,
Dass ihres Vaters Feinde ihre sind
Und ihres Vaters Freunde ihre Freunde.
645 Doch wer unnütze Kinder sich erzeugt,
Der hat nur lauter Mühsal sich geschaffen
Und groß Gelächter allen seinen Feinden.
Verlier, mein Sohn, nicht deinen klaren Sinn
Durch Weiberreiz und Sinnenlust und wisse:
650 Frostig wird die Umarmung bald genug
Mit schlechtem Weib im Hause und im Bett.
Ein schlechter Freund – welch schlimme Eiterbeule!
So spei sie aus wie einen bösen Feind,
Und lass sie drunt im Hades Hochzeit halten.
655 Denn sie allein von unsrer ganzen Stadt
Hab ich gefasst bei offnem Ungehorsam.
Zum Lügner will ich vor der Stadt nicht werden.
Sie sterbe! Lass sie doch den Schirm des Blutes,
Zeus, anflehn![2] Aber wer gehorcht mir noch,
660 Wenn ich im eignen Haus nicht Ordnung halte?
Denn nur wer tüchtig ist im eignen Haus,
Wird auch im Staat sich als gerecht erweisen.
Wer die Gesetze übertritt und frevelt,
Gar seinem Herrn Vorschriften machen will,
665 Der soll niemals ein Lob von mir erhoffen.
Nein, wen die Stadt bestellt, dem gilt Gehorsam
Im Kleinen und im Rechten und im Gegenteil.
Nur einem solchen Mann kann man vertrauen,
Dass er befehlen und gehorchen kann,
670 Dass er im Sturm der Schlacht an seinem Platz
Aushält, ein rechter, wackerer Kamerad.

---

1 Kreon überhört die Einschränkung Haimons V. 638 (vgl. auch V. 728).
2 Kreon stellt sich offen gegen Zeus.

Kein größer Übel als Zuchtlosigkeit!
Städte zerstört, Häuser verwüstet sie,
675 Löst auf der Bündner Schar. Doch festen Reihen
Rettet Gehorsam meistens Leib und Leben.
Drum gilt es, einzutreten für die Ordnung
Und niemals eines Weibes Knecht zu sein.
Besser der Tod durch Manneshand! Doch nie
680 Darf man sich Weibersklave schimpfen lassen.

CHORFÜHRER: Wenn Alter nicht den Sinn uns trübt, o Herr,
So hast du ein verständig Wort geredet.

HAIMON: Ja, Vater, von den Gaben, die uns Gott
Geschenkt, ist wohl Besonnenheit die schönste.
685 Ich wüsste und vermöcht auch nicht zu sagen,
Dass du mit alledem nicht recht gesprochen,
Und dennoch könnt ein andrer anders denken.
Für dich nun muss der Sohn auf alles achten,
Was einer denkt und spricht und wohl auch tadelt.
690 Denn der gemeine Mann scheut sich, vor dir
Ein Wort zu reden, das dir nicht gefällt.
Ich aber hör es, wie die ganze Stadt
Im Stillen dieses Mädchens Los beklagt,
Dass sie, die rein vor allen andern Weibern,
695 Für ihre edle Tat soll elend sterben.
Sie, die des Bruders Leib, der unbestattet
Im Blute lag, den gierigen Hunden nicht,
Den Vögeln nicht zum Fraße überließ,
Verdient sie nicht goldener Ehre Lohn?
700 So schleicht im Dunkeln heimliches Gerede.
O Vater, deine Wohlfahrt und dein Glück
Stehn höher mir als alles auf der Erde.
Ist nicht des Vaters Glück des Sohnes Stolz,
So wie des Sohnes Wohl der Stolz des Vaters?
705 So sei doch nicht der einen Ansicht nur,
Bloß deine Meinung und sonst nichts sei richtig.
Denn wer sich selbst allein für weise hält,
Für klug und für begabt und stark im Wort,
Der wird, entfaltet, bald als hohl erkannt.
710 Es schändet nämlich auch den Weisen nicht,
Noch viel zu lernen, nichts zu überspannen.

Du siehst in hochgeschwollener Flut den Baum,
Der nachgibt, unversehrt an seinen Zweigen;
Den trotzenden jedoch siehst du entwurzelt.
715 Und wer zu Schiff das straffe Segeltau
Im Sturm nicht nachlässt, der schlägt elend um
Und treibt auf umgestürztem Kiel dahin[1].
So gib auch du nach! Ändere deinen Sinn!
Darf auch der Jüngere seine Meinung sagen:
720 Es wär weit besser, meine ich, ein jeder
Wär von Natur jeglichen Wissens voll.
Doch da das nicht zu sein pflegt, ist es gut,
Von dem zu lernen, der verständig spricht.
CHORFÜHRER: Herr, hör auf deinen Sohn! Er riet dir recht;
725 Du auf den Vater! Beide spracht ihr gut.
KREON: Von diesem jungen Menschen da soll ich
In meinem Alter noch Vernunft annehmen?
HAIMON: Nur in gerechter Sache. Bin ich jung,
Acht meine gute Sache, nicht mein Alter.
730 KREON: Und Ungehorsam ehren, nennst du gut?
HAIMON: Für schlechte Sachen tret ich niemals ein.
KREON: Ist sie nicht krank an einer schlechten Sache?
HAIMON: Das ist die Meinung nicht von Thebens Volk.
KREON: Ja, soll die Stadt denn meine Herrschaft regeln?
735 HAIMON: Siehst du, du redest wie ein rechter Jüngling.
KREON: Für wen denn als für mich soll ich regieren?
HAIMON: Staat ist das nicht, was eines Mannes ist.
KREON: Und nicht des Herrschers also ist der Staat?
HAIMON: Herrliche Herrschaft, einsam in der Öde!
740 KREON: Mir scheint, der kämpft im Bunde mit dem Weib.
HAIMON: Nenn du das Weib. Um dich nur sorg ich mich.
KREON: Nichtswürdiger, du rechtest mit dem Vater?
HAIMON: Weil du in schrecklich Unrecht dich verirrst.
KREON: Ist Achtung meiner eignen Macht denn Unrecht?
745 HAIMON: Missachtung ist es, triffst du Gottesfurcht.
KREON: Schmutzige Art und noch dem Weibe hörig!
HAIMON: Nie findest du mich einer Schande hörig.
KREON: All dein Gerede gilt ja doch nur ihr.

---

[1] Haimons Appell an Kreon, nachzugeben. Die Metaphorik seiner Rede ist antithetisch zu der Kreons (vgl. z.B. V. 474).

HAIMON: Und dir und mir und auch den Göttern drunten.
750 KREON: Genug! Im Leben wirst du sie nicht freien.
HAIMON: Sie stirbt und zieht im Tode einen mit.
KREON: Zu drohen wagst du, trotziger Bube, mir?
HAIMON: Ich drohe nicht, ich kämpfte gegen Wahnsinn.[1]
KREON: Das wirst du, selbst wahnsinnig, mir bereuen.
755 HAIMON: Du bist mein Vater, sonst nennt ich dich unklug.
KREON: Du Weiberknecht, lass doch die Heuchelworte!
HAIMON: Du willst nur immer reden, doch nicht hören.
KREON: So? Wirklich? Ha, ich schwör's dir beim Olymp,
Dein dreister Hohn soll dir nicht gut bekommen.
760 Her mit dem Scheusal! Her! Sie stirbt sofort
Hier, vor den Augen ihres Bräutigams.
HAIMON: Nein, bilde dir nicht ein, dass hier sie stirbt
Vor meinen Augen. Doch du wirst vor deinen
Nie mehr mein Haupt erblicken und dann tobe
765 Dich aus vor denen, die dran Freude haben!

Er eilt ab.

CHORFÜHRER: O Herr, im Zorne stürzt der Jüngling weg.
Im Leid sinnt Düsteres oft ein junges Herz.
KREON: Und mag er Übermenschliches ersinnen,
Das Los der beiden wird er doch nicht ändern!
770 CHORFÜHRER: So sollen sie denn alle beide sterben?
KREON: Nein, die Unschuldige nicht. Da hast du Recht.
CHORFÜHRER: Und welchen Tod hast du für sie bestimmt?
KREON: Wo in der Öde sich der Pfad verliert,
Soll sie lebendig steigen in ein Grab,[2]
775 Mit so viel Brot, wie Gottesfurcht bedingt,
Dass nicht Befleckung schände unsre Stadt;
Soll dort um Rettung dann zum Hades beten,
Den sie allein von allen Göttern ehrt,
Oder erkennen wenigstens zuletzt:
780 Hades zu ehren sei verlorene Mühe.

Ab

---

[1] Leitmotive: Torheit, Wahnsinn vs. Klugheit, Vernunft, Einsicht (vgl. auch V. 95, 469)

[2] Abweichend von der ursprünglich vorgesehenen Strafe der Steinigung (vgl. V. 36). Evtl. will Kreon mit der Einmauerung Antigones das öffentliche Strafritual vermeiden (vgl. Giebel, M.: Sophokles, Antigone. Erläuterungen und Dokumente. Stuttgart: Reclam 1992, S. 14).

Drittes Standlied

Chor

Strophe

CHOR: Eros[1], du Allsieger im Streit,
Eros, du beutgieriger Aar!
Auf des Mägdeleins Wange zart
Hältst du über die Nacht hin Wache.
785 Du schweifst hinaus über das Meer,
Ländlich Gehöft suchst du.
Kein Unsterblicher ist je dir entflohn,
Auch kein sterblicher Mensch entgeht dir.
790 Wen du ergreifst, der raset.

Gegenstrophe

Verlockst auch oft rechtlichen Sinn
Zu ungerecht schandbarer Tat.
Hast Verwirrung nun auch erregt
Bei den Männern verwandten Blutes.
795 Der Sehnsuchtsblick, deutlicher Strahl
Bräutlichen Augs, sieget.
Hoch sitzt sie in der Macht allem Gesetz
800 Bei, dem großen, und unbezwinglich
Lockt uns die Liebesgöttin.

CHORFÜHRER:
Nun reißt's auch mich aus der Bahn heraus
Der Satzungen, da ich das sehen muss.
Und halte nicht länger der Tränen Quell,
Da ich schaue, wie dort Antigone geht
805 In des Grabes allbergendes Brautbett.

---

1 Liebesgott, Sohn der Aphrodite: Der Chor glaubt an die dämonische Macht des Eros als Grund für den Streit zwischen Haimon und Kreon (vgl. V. 794).

Vierter Auftritt

Klagelied

Strophe 1

ANTIGONE: O seht mich an,   Bürger des Vaterlandes,
Wie ich den letzten Weg
Schreite, wie ich zum letzten Mal
Schau der Sonne leuchtendes Licht.
810 Niemals wieder. Sondern mich führt,
Der das Bett uns allen einst macht,
Lebend davon zum
Tode. Tönet kein Brautlied,
Kein Hochzeitslied seinen Klang,
815 Und nie   wird mir zuteil solch Los,
Sondern Acheron[1] wird mich jetzt freien.
CHOR: Doch steigst du hinab in die Totenkluft,
Mit Lob geschmückt und umstrahlt von Ruhm.
Nicht schwandest du hin von Krankheit erfasst,
820 Nicht traf dich des Schwertes tödlicher Lohn,
Nach eignem Gesetz gehst von allen allein
Du lebend hinunter zum Hades.

Gegenstrophe 1

ANTIGONE: Ich hörte doch,   welch einen Tod erlitten
Niobe[2] jammervoll.
825 Auf dem Grat des Berges erstickt
Sie der langsam wachsende Fels,
Der wie Efeu sie eng umrankt.
Um die schmerzzerfließende Frau
Rinnt, so erzählt man,
830 Regen, Schnee unaufhörlich.
Das Nass entströmt ihren Braun

---

1 Fluss im Hades, den die Toten beim Eintritt in die Unterwelt überschreiten müssen; hier identisch mit dem Totengott.

2 Enkelin des Zeus und Tochter des Tantalos, rühmte sich wegen ihrer vielen Kinder, die daraufhin von den Göttern getötet wurden; Niobe wurde aus Rache in einen Stein verwandelt.

Den Bergrücken hinab. Auch mir
Steht ein steinernes Bette jetzt offen.
Chor: Doch Göttin war jene, von Göttern gezeugt.
835 Wir aber sind sterblich und sterblichen Stamms.
Und dennoch! Wie herrlich: dasselbe Los
Mit Göttern zu teilen als sterbliches Weib
Im Leben und auch noch im Tode!

Strophe 2

Antigone:
O weh, der Spott! Eh ich noch tot bin, sprich, warum,
840 Bei den Göttern der Väter spottest du mir ins Antlitz?
Stadt, meine Stadt, und ihr
Der Stadt mächtige Bürger!
O weh, Dirkes Flut, weh, du Hain meiner
845 Wagenberühmten Stadt!
Alle ruf ich als Zeugen an, alle,
Wie unbeweint von Freunden, bar jeden Rechts,
Ins Felsverließ ich steige, dieses unerhörte Grab für mich.
Oh weh! Ärmste ich!
850 Ich bin Schatten noch nicht, nicht Mensch mehr,
Bin nicht dem Tod, nicht dem Leben eigen.
Chor: Du schrittest vor zum letzten Trotz,
Und an des Rechtes hohem Thron
Bist heftig du gescheitert, Kind.
855 Des Vaters Ringen musst du büßen.

Gegenstrophe 2

Antigone:
Du rührst den Gram, welcher der schwerste ist, mir an,
Meines Vaters so oft beklagte Not und des ganzen
860 Edelen Hauses Los,
Das Los unsers Geschlechtes.
O Fluchbett, in dem einst die Mutter dem
Vater, den selbst sie gezeugt,
865 Meinem Vater sie beigewohnt! Wehe!
Von was für Eltern stamm ich ab, Ärmste ich!

Zu ihnen, fluchbedeckt und unvermählet, geh ich in den Tod.
O weh, Bruder mein,
870 Dir schuf bitteres Leid die Ehe![1]
Du hast im Tod noch zerstört mein Leben.
CHOR: Ja Liebesdienst ist Gottesdienst.
Macht aber, wo die Macht im Recht,
Die duldet Übertretung nie.
875 Dich schlug dein selbstgewähltes Trachten.

Abgesang

ANTIGONE: So trostlos, freundlos, ehelos auch
Schreite ich armes Geschöpf diesen Weg, mir bestimmt.
Nimmer das heilige Auge des Sonnenlichts
880 Soll ich Ärmste schaun.
Doch mich und mein Geschick niemand beklagt,
Auch kein Freund weiht ihm eine Träne.

Kreon tritt auf.

KREON: Wenn Klagen uns vom Tod erretten könnten,
So käm wohl keiner je damit zu Ende.
885 Hinweg mit ihr! Tut, was ich euch gebot,
Und schließt sie in das Gruftgewölbe ein;
Dort lasset sie allein. Mag sie dort sterben,
Mag sie am Leben bleiben, unsere Hände
Sind rein, was immer ihr geschehen mag.
890 Doch unsern Tag soll sie nicht länger teilen!
ANTIGONE: O Grab, o Brautgemach und o du Haus
Aus Stein, das ewig mich umschließen soll,
In das ich wandre zu den meinen allen,
Die schon Persephone[2] bei sich empfing.
895 Die Letzte bin ich, die Unseligste.
Ich sterbe, ehe ich mein Ziel vollendet.
Die eine Hoffnung aber tröstet mich:

---

1 Polyneikes' Ehe mit der Tochter des Adrast machte den Zug der Sieben gegen Theben möglich.

2 Frau des Hades, Göttin der Unterwelt

In Liebe wird der Vater mich empfangen,
In Liebe auch die Mutter und auch du,
900 O teures Bruderhaupt; im Tod hab ich
Euch alle einst gewaschen und geschmückt.
Und weil ich deinen Leib, o Polyneikes,
Bestattete, so ernt ich solchen Lohn.
Doch alle Guten preisen meine Liebe.
905 Denn niemals hätte ich für meine Kinder,
Noch wenn ein Gatte mir hinmoderte,
Der Stadt zum Trotz dies Leid mir ausgewählt.
Doch welcher Satzung tat ich das zuliebe?
Für einen toten Gatten gab's Ersatz,
910 Für totes Kind von anderm Mann ein andres.
Da Mutter mir und Vater ruhn im Hades,
Kann mir ein Bruder nimmermehr erstehn.
Nach solcher Ordnung musste ich dich ehren,[1]
Ob's[2] Kreon auch für ein Verbrechen hält
915 Und unerhörte Frechheit, liebes Bruderhaupt!
Darum nun reißt er mich gewaltsam fort
Von Hochzeit, Brautlied, Ehe und bevor
Aus meinem Schoß ein Kind ich aufgezogen.
920 Lebendig soll ich steigen in die Gruft,
Warum? Welch göttlich Recht hab ich verletzt?
Wie soll ich noch aufblicken zu den Göttern,
Erflehen ihre Hilfe? Zahl ich doch
Für Gottesfurcht nun mit Gottlosigkeit.
925 Doch wenn's die Götter wollen, dass ich leide,
So lerne ich im Tod wohl meine Schuld.
Wenn aber meine Feinde schuld, dann treffe
Dasselbe Schicksal sie, das mir verhängt!

CHORFÜHRER: Noch immer erschüttert derselbe Sturm
930 Gewaltig ihr Herz.

---

1 Für unser heutiges Verständnis provozierende Worte Antigones. Die Echtheit dieser Passage wird angezweifelt. Vgl. auch Goethe, Gespräch mit Eckermann vom 28. März 1827, der das Motiv vom Vorrang der Bruderliebe als „ganz schlecht und fast ans Komische" streifend bezeichnet. Er sieht darin „dialektisches Kalkül" und wünscht, „dass ein guter Philologe uns bewiese, die Stelle sei unecht." (Vgl. dazu auch Giebel, a.a.O., S. 16f.)

2 Wenn auch Kreon es für ein Verbrechen hält

KREON *zu den Dienern:*
Nun führt sie hinweg! Sonst büßet noch ihr
Ihre Klagen, weil ihr so säumet.
ANTIGONE: Weh mir! Es nahet der Tod. Dies Wort
Verkündet sein Kommen.
935 KREON: Lass fahren vergeblicher Hoffnungen Trug,
Ergib dich. Dein Schicksal erfüllt sich.
ANTIGONE: O Heimatstadt, o Thebanerland,
O Götter der Ahnen!
Man schleppt mich dahin, ohne Zögern, o weh!
940 Ihr Männer, ihr Edlen thebanischen Lands,
Seht her, was ich leide, seht her, von wem!
Die die Letzte ich bin aus dem Königshaus,
Weil ich Heiliges heilig gehalten.
Sie wird abgeführt.

Viertes Standlied

Chor

Strophe 1

CHOR: Musste Danae[1] auch himmlisches Licht einst
945 Gegen Kerkerverließ tauschen, aus Erz gebaut.
Und sie umschloss Grabesgruft, schauriges Brautgemach im Tod.
War doch auch von Geschlecht edel wie du, mein Kind.
Und den Regen aus Gold, Samen des Zeus, hütete sie im Schoß.
950 Fürchterlich ist wahrlich des Schicksals Macht.
Davor vermag nicht Gold noch Mut,
Noch Turm, noch dunkelfarbenes Schiff,
Vom Meere gepeitscht, uns zu retten.

[1] Der Chor zitiert verschiedene Mythen vergleichbarer Schicksale: Danae wurde von ihrem Vater, der fürchtete, dass sein Enkel ihn um seine Macht bringen könnte, in einen Turm gesperrt.

Gegenstrophe 1

Nieder unter das Joch wurde gebeugt einst
Auch der Thrakierfürst[1], der Dionysos kränkt
Frech mit dem Wort, spitz und bös. Felsenverlies umschloss ihn tief.
Da versickerte bald trotzig der wilde Drang
960 Seines schäumenden Wahns. Lernte zu spät, dass er gewagt, den Gott
Selbst zu bestehen frech mit dem spitzen Wort.
Die Frauen, die des Gottes voll[2],
Die hemmt' er und den Fackelzug
965 Und schalt die flötenfrohen Weisen.

Strophe 2

An den blauen, zwei Meeren gehörenden Wellen
Liegt dem Bosporos nahe ein thrakisches Räubernest:
970 Salmydessos, wo einst Ares erblickte
Die Phineussöhne, die zwei,
Jämmerlich zugerichtet.
Des Phineus Weib blendet sie im Jähzorn.
Die Augensterne, die zerstörten, rufen laut
975 Nach Rache. Mörderhand durchstach sie;
Der Spindel ganz spitzer Stahl ihr Dolch war.

Gegenstrophe 2

Und sie härmten sich ab um das Leid, die Unseligen,
980 Das die traurige Ehe unselig geschaffen
Ihrer Mutter. Die war aus des Erechtheus
Uraltem Stamme gezeugt.
Fern in des Vaters Höhlen,
Des Windgotts, sturmreichen, aufgezogen,
985 Flog rosseschnell sie steile Bergeshöhn hinan,

---

1 Lykurg kränkte Dionysos und die Mänaden und wurde zur Strafe an einen Berg geschmiedet.
2 die Mänaden im Gefolge des Dionysos

Ein Kind der Götter. Dennoch traf sie
Des Schicksals Schlag, Kind, das ewig waltet.[1]

Fünfter Auftritt

Teiresias[2] tritt auf, von einem Knaben geführt.

TEIRESIAS: Ihr Edlen Thebens, seht, wir nahen euch
Zu zwein, der eine muss für beide sehn;
990 Denn Blinde gehen die Wege ihres Führers.
KREON: Was bringst du Neues, Greis Teiresias?
TEIRESIAS: Du sollst es hören. Folg dem Seher nur!
KREON: Ich habe stets mich deinem Rat gebeugt.
TEIRESIAS: Drum steuerst du auch richtig unsern Staat.
995 KREON: Dass mir's genützt, bezeug ich aus Erfahrung.
TEIRESIAS: Doch heute steht dein Glück auf Messerschneide.
KREON:
Was sprichst du da? Mit Schaudern rührt's mich an.
TEIRESIAS: Hör, welche Zeichen mir geworden sind.
Ich saß zur Vogelschau[3] am alten Ort,
1000 Wo aller Vögel Sammelplatz mir war.
Da hört ich, wie ich's niemals noch vernommen,
Ein krächzend Kreisen und verworrenen Lärm,
Und wie sie sich mit mörderischen Krallen
Zerfleischten; denn es rauschten laut die Flügel.
1005 Voll Sorge prüfte ich den Opferbrand
Auf dem Altar. Doch schlug die Flamme nicht
Empor zum Opfer, sondern zischend floss
Das Fett der Knochen in die Asche nieder,
Und spritzte auf und qualmte. Darauf quoll
1010 Die Galle auf und platzte, und entblößt
Und ausgeschmolzen lagen nackt die Knochen.

---

1 Mythos der Kleopatra, Tochter des Windgottes Boreas, verstoßen von ihrem Gatten Phineus. Deren zwei Söhne werden von der Stiefmutter geblendet und in ein Felsengrab gesperrt.
2 der blinde Seher, der Verkünder drohender Schicksalsschläge
3 Die Beobachtung des Flugs der Vögel diente der Vorhersage zukünftiger Ereignisse.

Von diesem Knaben, der mein Führer ist,
Wie ich der andern Führer, weiß ich dies,
Wie uns das Opfer zeichenlos missglückt.
1015 Nur deinetwegen ist die Stadt so krank.
Denn alle Opferherde sind entweiht
Durch Hund und Vögel, welche sich vom Fleisch
Des unglückseligen Königssohnes nährten.
Drum hört kein Gott auf unsre Opferbitten,
1020 Nimmt kein Brandopfer an von unsrer Hand.
Und von den Vögeln, die sich von dem Mordblut
Gemästet, schrillt kein Schrei des Heils.
Bedenke das, mein Sohn! Wohl ist den Menschen
Gemeinsam, ihnen allen, dass sie fehlen.
1025 Doch nach dem Fehl – der ist nicht mehr verkehrt
Und nicht verblendet, der nach bösem Fall
Auf Heilung sinnt und nicht in sich erstarrt.[1]
Doch Eigensinn macht blind und unbelehrbar.
So folge meinem Rat! Quäl nicht die Toten!
1030 Welch Heldenstück, den Toten nochmals töten!
Ich sag dir das zum Guten. Guten Rat
Zu hören, der Gewinn bringt, ist das Beste.

KREON: Greis! Wie die Schützen auf ein einzig Ziel,
So zielt ihr allesamt nach meiner Brust.
Sieh da, die Seherzunft ist auch dabei!
1035 Freilich, von dieser Gilde bin ich längst
Verkauft wie eine Ware und verfrachtet.
So schachert doch mit Persergold und wuchert
Mit Bernstein, wenn ihr wollt, aus Inderland![2]
Ins Grab bekommt ihr diesen Toten nicht!
1040 Auch nicht, wenn ihn Zeus' Adler sich als Fraß
Aufpackten und ihn trügen an Zeus' Thron.
Nie werde ich aus Angst vor der Befleckung
Das Grab ihm geben; weiß ich doch gewiss,
Dass Menschen Götter nicht beflecken können.
1045 Es stürzen aber, Alter, auch Gewaltige

---

[1] Leitmotiv: Starrheit vs. Nachgiebigkeit; Blindheit vs. Erkenntnis (vgl. auch Haimons Rede V. 717 und V. 1102)

[2] Kreon glaubt immer noch an eine Verschwörung und vermutet Bestechung (vgl. V. 294).

Schmählichen Sturz, wenn mit erhabenem Wort
Sie schmählich reden, dem Gewinn zulieb.[1]
TEIRESIAS: Ach!
Weiß wohl ein Mensch und denkt er wohl daran –
KREON: Heraus mit dem Gemeinplatz! Also woran?
1050 TEIRESIAS: Dass nichts so wertvoll als Besonnenheit.
KREON: Und nichts so wertlos als wie Unverstand.
TEIRESIAS: An diesem Übel eben krankest du.
KREON: Ich schweig, den Seher will ich nicht beschimpfen.
TEIRESIAS:
Du schmähst mich, wenn mein Seherwort dir Lüge.
1055 KREON: Die ganze Seherzunft liebt nur das Geld.
TEIRESIAS: Die Fürstenzunft liebt schmählich nur die Macht.
KREON: Du greifst den Fürsten an. Weißt du das nicht?
TEIRESIAS: Ich weiß. Mein Rat ließ Theben dich bewahren.
KREON: Ein kluger Seher bist du, doch voll Arglist.
1060 TEIRESIAS: Der Brust Geheimnis treibst du mir heraus.
KREON: Heraus denn! Aber hoffe nicht auf Lohn.
TEIRESIAS: Dein Lohn ist es, was ich zu sagen habe.
KREON: Glaub nur nicht, dass du mich verkaufen kannst!
TEIRESIAS: So sollst du also wissen, dass nicht viele
1065 Umdrehungen die Sonne wird vollenden,
Bis du aus deinem eigenen Blut als Sühne
Den Toten einen Toten hast geliefert[2]
Dafür, dass du von droben warfst nach drunten
Ein Leben schmählich in des Grabes Haus.
1070 Doch was den Göttern drunt ist, hältst du hier:
Die grab- und grabesweihnberaubte Leiche.
Daran hast du nicht Anteil noch die obern
Gottheiten. Das ist Vergewaltigung!
Drum lauern dir der Unheilstifter Hades
1075 Und die Erinnyen auf, die göttlichen,
Dich eben wegen dieser bösen Tat zu fassen.
Sieh zu, ob ich bestochen also rede.
Das wird erweisen bald in deinem Haus

---

1 Kreon unterstellt, dass Teiresias bestochen wurde. Dadurch herausgefordert gibt Teiresias seine Weissagung preis.
2 Vorhersage des Todes Haimons; Kreon hat seine letzte Chance vertan.

Ein Wehgeschrei von Männern und von Weibern.
1080 In Hass geht jede Stadt wirr gen sich selbst,
Die Leichen Hunden zur Besorgung lässt,
Raubtieren oder Vögeln, und die tragen
Ruchlosen Ruch zur Stadt, der Götter Herd.
Die Pfeile sende ich, weil du mich schmähst,
1085 Ein zorniger Schütze dir genau ins Herz,
Und ihrem Brand entrinnst du nimmermehr.
Du aber, Knabe, führe mich nach Haus,
Dass er den Groll auf Jüngere entlade
Und seine Zunge besser lern beherrschen
1090 Und gutem Rat sich endlich fügen wolle.

Ab

CHORFÜHRER: O Herr, mit grausem Spruch ging er hinweg,
Und wir, wir wissen, seit sich uns das Haar
Aus dunkler Locken Fülle hat gebleicht,
Dass er der Stadt kein Lügenwort je sagte.
1095 KREON: Ich weiß es selbst und fühle mich erschüttert.
Hart ist es, nachzugeben; aber hart
Ist's auch, verblendet wilden Trotz zu büßen.
CHORFÜHRER: Lass gut dir raten, Sohn du des Menoikeus!
KREON: So ratet mir, was soll ich tun; ich folge.
1100 CHORFÜHRER: Befrei die Jungfrau aus der Felsengruft,
Und gib dem Unbestatteten sein Grab!
KREON: Das rätst du? Nachzugeben scheint dir gut?
CHORFÜHRER:
Ja, Herr, und schleunigst. Denn der Götter Strafen,
Leichtfüßig holen sie den Bösen ein.
1105 KREON: Schwer wird es mir. Doch ich will mich bezwingen,[1]
Denn niemand kann der Macht des Schicksals trotzen.
CHORFÜHRER: Auf, tu es selbst! Verlass dich nicht auf andre!
KREON: So geh ich, wie ich bin. Ihr Diener, auf,
Ihr da! Und holt die andern auch herbei!
Nehmt Spaten rasch zur Hand und eilt im Wettlauf
1110

[1] Kreon gibt nach, aber es ist zu spät.

Hin, wo der Tote bei den Wächtern liegt.
Ergeben hab ich mich, und also will ich,
Die ich gebunden selbst, auch selber lösen.
Ich habe Angst, ob's nicht das Beste sei,
Gültige Satzung bis zum Tod zu ehren.
Ab mit den Dienern

Fünftes Standlied

Chor

Strophe 1

1115 CHOR: Du gepriesener Bakchos, du der Kadmostochter
Stolz, du der Sohn des Donnerers Zeus![1]
Du schirmst die Flur Italiens[2]
1120 Uns, die berühmte, hütest im Eleusistale[3] die Flur,
Aller Hort. Bakchos, der Bakchen Herr,
In Theben, der Mutterstadt,
Am Ismenosgestad[4],
Dem feuchten Strom, wo ja die Saat
1125 Des wilden Drachen aufging.

Gegenstrophe 1

Es begrüßt dich auf Bergeshöhn der Qualm der Fackeln,
Leuchtend, wenn beim bakchischen Fest
Die Nymphen ihren Reigen drehn
1130 An der Kastalschen Quelle[5].
Und Euboias[6] bergiger Hang,
Efeugrün, saftig frisch, traubenreich,

---

1 Der Chor wendet sich an Dionysos (auch Bakchos genannt), den Schutzgott Thebens. Lobpreis seiner Taten und Bitte um Hilfe (vgl. V. 1140f.)

2 Athen hatte in Italien eine Kolonie gegründet.

3 Tal von Eleusis: Stadt und Demos in Attika (nahe Athen), berühmt durch die eleusischen Mysterien (orgiastische Feste), die zu Ehren der Demeter abgehalten wurden.

4 Ufer des Ismenos: Fluss in Theben

5 Kastalia: Quelle, entspringt bei Delphi im Parnass-Gebirge.

6 Euboia: nach Kreta die größte griechische Insel

Er sendet dich her zur Feier.
Und der göttliche Sang
1135 Hallt wieder, wenn jubelnd das Volk
In Thebens Gassen jauchzet.

Strophe 2

Das du hoch hobst empor
Aus allen Städten, da dort
Schlug der Blitz die Mutter tot.[1]
1140 Komm auch jetzt, da schwer Krankheit uns betraf,
Uns und unsere ganze Stadt.
O komm und bring uns Heil! Überquer
hoch den Sund,
1145 Der laut dröhnt, und auch den Parnass im Fluge.

Gegenstrophe 2

Sternenlichtlenker du
Im Purpurglanze der Nacht!
Führer auch im Chorgesang!
Zeusentsprossener du, Herrscher, erschein,
1150 Von der trunkenen Schar[2] umschwärmt,
Die wild dich feiert; rasend im Tanz nächtelang
Um dich, Bakchos, Walter des frohen Reigens.

Schlussszene

Ein Diener des Kreon tritt rasch auf.

1155 DIENER: Ihr Bürger unsrer alten Kadmosstadt,
Wie wandelbar ist aller Menschen Los!
Nie nenn ich jemand glücklich oder elend.
Das Schicksal hebt, das Schicksal stürzt hinab,
Ob du im Glück, ob du im Unglück bist.
1160 Und in die Zukunft sah noch kein Prophet.
Wie war nicht Kreon einst beneidenswert,

---

1 Semele, die Mutter des Dionysos, wurde durch einen Blitz des Zeus getötet, als sie wünschte, den Göttlichen zu sehen.
2 tanzende Mänaden im Gefolge des Dionysos

Von Feinden hat er dieses Land befreit,
Die ganze Herrschaft nahm er in die Hand,
Und Glück umblühte ihn in seinen Kindern.
1165 Und nun ist alles hin. Denn wenn die Freude
Den Menschen flieht, so zähl ich ihn nicht mehr
Als lebend – lebend ist er eine Leiche.
Lass prangen ihm von Schätzen den Palast,
Lass ihn ein Leben führen Fürsten gleich –
1170 Wenn Freude fehlt, so kauf ich ihm nicht ab
Um Rauches Schatten all das gegen Freude.

CHORFÜHRER:
Welch neues Leid bringst du dem Herrscherhaus?
DIENER: Tot sind sie, und die Lebenden sind schuld.
CHORFÜHRER: Wer ist der Mörder? Wer ist tot? So sprich!
1175 DIENER: Haimon liegt tot in seinem Blute da.
CHORFÜHRER: Von Vaters Händen oder von den eignen?
DIENER: Den eignen; grollend seinem Mördervater.
CHORFÜHRER: O Seher, wie hat sich dein Wort erfüllt!
DIENER: So ratet, was nunmehr geschehen soll.
1180 CHORFÜHRER: Dort naht Eurydike, des Königs Gattin.
Vernahm die Ärmste wohl von ihrem Sohn,
Oder hat Zufall sie hierher geführt?

Eurydike tritt aus dem Palast.

EURYDIKE: Ihr Bürger, welche Rede drang zu mir!
Als ich hinaus aus meinem Hause trat,
1185 Um Pallas[1] anzugehn um ihren Schutz,
– Noch hatte ich den Riegel in der Hand –
Da dringt zu meinem Ohr ein schrecklich Wort
Von schwerem Leid, das neu mich hätt betroffen,
Dass ich den Mädchen in die Arme sinke.
1190 Doch wie die Nachricht lautet, sagt noch einmal!
Ihr sprecht zu einer, der das Leid bekannt.
DIENER: Herrin, wie ich's gesehn, so meld ich's dir,
Und nichts verschweig ich von der ganzen Wahrheit.
Wozu auch mildern, wo der Augenblick,
1195 Der nächste, schon mich Lügen straft! Nur Wahrheit
Besteht. – Ich folgte deinem Ehgemahl

[1] Pallas Athene, Tochter des Zeus

Zum hohen Blachfeld[1], wo, von Hunden schmachvoll
Zerrissen, Polyneikes' Leiche lag.
Wir flehten Pluton an und Hekate[2],
1200 Sie möchten huldreich ihren Groll anhalten,
Und wuschen dann mit heiligem Bad die Reste
Und ließen sie auf frischem Holz verbrennen,
Aus Heimaterde einen Hügel wölbend.
Dann gingen wir zur hohlen Felsenkammer.
1205 Dem Brautgemach der armen Todesbraut.
Fernher vernahm schon einer scharfen Wehruf,
Der von dem weihelosen Grabe scholl,
Und eilt', es unserm König anzusagen.
Undeutlich schwoll um ihn der Jammerlaut.
1210 Da, wie er näher tritt, da bricht er aus
Und stöhnt und klagt: „Ich armer Mann!
Bin ich ein Seher? Geh den schlimmsten Weg
Von allen Wegen, die ich je betrat?
Es ist mein Sohn, der ruft. Ihr Diener, auf,
1215 Eilt schleunigst hin, eilt mir voran zur Gruft,
Zwängt euch durch eine Fuge in der Gruft,
Dringt bis zur Mündung, seht, ob's Haimon ist,
Der klagte, oder ob ein Gott mich täuscht."
Wir taten, was er angstvoll uns gebot.
1220 Da sahen wir in der Höhle düsterer Tiefe
Das Mädchen, eine Schlinge um den Hals,
Die sie geknüpft aus ihrem Schleiertuch.
Und es umschlang der Sohn den Leib der Braut,
Dem Räuber fluchend seines Eheglücks,
1225 Dem Vater, der die Hochzeit ihm gerüstet.
Wie Kreon ihn erblickt, da stöhnt er auf,
Und geht hinein zu ihm und ruft aufschluchzend:
„Unseliger, was tust du hier? Was sinnst du?
In welch Verderben hast du dich gestürzt?
1230 O komm hervor, fußfällig bitt ich dich!"
Der starrt mit wildem Blick den Vater an,
Speit stumm ihm ins Gesicht, fasst nach dem Griff

---

1 flaches Land, vgl. auch S. 11
2 Pluto(n) = Hades, Gott der Unterwelt; Hekate: Göttin der Unterwelt, der „Dreiwege"

Des Schwertes, zieht – es flüchtet schnell der Vater
Von dannen –, der stößt fehl, kehrt nun die Wut
1235 Wild gegen sich und stemmt sich auf das Schwert
Und treibt sich's mitten in die eigene Brust.
Bei Sinnen noch umfängt er matt die Braut.
Ausröchelnd einen jähen Strom von Blut,
Färbt er mit rotem Nass die bleichen Wangen.

Eurydike verschwindet stumm im Palast.

1240 So hat der Tod sie beide nun verbunden
Zum Hochzeitsfeste in der Toten Land,
Im Beispiel zeigend, wie die Leidenschaft[1]
Der Übel größtes für die Menschen ist.
CHORFÜHRER: Verstehst du das? Die Königin ging fort
1245 Und sprach kein gutes, sprach kein böses Wort.
DIENER: Auch mich befremdet's, doch ich hoffe dies:
Den wehen Schmerz um ihres Sohnes Tod
Mag sie nicht laut vor aller Welt enthüllen.
Im Stillen wird sie mit den Frauen weinen.
1250 Sie ist besonnen, wird sich nicht vergehn.
CHORFÜHRER:
Wer weiß! Zu tiefes Schweigen scheint nicht minder
Bedrohlich als vergeblich laut Geschrei.
DIENER: So will ich selbst erforschen, ob sie nicht
Geheimes im erregten Herzen birgt.
1255 Ich folge ihr ins Haus. Ja, du hast Recht,
Auch allzu tiefes Schweigen kündet Unheil.

Ab in den Palast

1 „[...] wie sehr Unvernunft für einen Mann das größte Übel ist." (Übers. Zink, a.a.O., S. 99)
Wiederaufnahme des Leitmotivs „Einsicht, Vernunft vs. Unvernunft, Wahnsinn"; Haimon hatte Kreon die Einsicht abgesprochen (V. 753ff.), Kreons Einsicht kommt zu spät (vgl. V. 1269).

Klagelied

CHORFÜHRER: Dort nahet der König und hält mit dem Arm
Das Zeugnis, das deutlich die Schuld beweist.
Ich wage das Wort: nicht fremde Schuld,
1260 Nein, die er selber begangen.
Kreon tritt mit Gefolge auf, den Arm um die Leiche Haimons gelegt, der auf einer Bahre getragen wird.

Strophe 1

KREON: O weh! Des Sinns, bösen Sinns, der uns fallen lässt
In Schuld, Todesschuld!
Mörder seht, Opfer seht
Ihr hier beide, sind von ganz gleichem Blut.
1265 Weh um den unheilvollen Sinn, meinen Sinn!
Mein Sohn! Dich entriss so früh früher Tod!
O Qual, o Qual!
Du starbst, gingst dahin
Durch mein, nicht durch dein, so wahnblindes Tun.
1270 CHORFÜHRER:
O weh, wie konntest du zu spät das Rechte sehn?
KREON: Ich Ärmster hab gelernt. Es schlug aufs Haupt
Ein Gott damals mich, so schwer, damals mich
Und schleuderte mich auf die böse Bahn,
1275 Zertrat mein Glück, o weh, mit seinem Fuß.
Weh! Weh! Menschenlos, wie sehr Jammerlos!

Der Diener kommt wieder aus dem Palast.

DIENER: O Herrscher, schwer getroffen, wie du bist,
Trägst schon ein Unglück auf dem Arm, das andre
1280 Wirst du sogleich im Haus zu sehn bekommen.
KREON: Was ist denn schlimmer noch als dieses Schlimme?
DIENER: Dein Weib ist tot. Ganz Mutter dieses Toten,
Starb ihm die Arme nach von eigner Hand.

Gegenstrophe 1

KREON: O weh!
O weh! Unversöhnlich, du Todesschlund!
1285 Verschlingst du mich jetzt?

Unglückspost bringst du mir
Von Leid, schlimmem Leid. Wie hieß doch das Wort?
„Wehe, den toten Mann du machst nochmals hin."
Ein neu Mordgeschick, wie war's? sagtest du?
1290 O weh! o weh!
Mein Weib, Ärmster ich! dahin in des Sohnes
Geschick mitgerissen! Oh, neues Leid!

CHORFÜHRER: Sieh hin, das Haus verbirgt es dir nicht mehr.[1]

Die Palasttüren werden geöffnet.
Man sieht die Leiche der Königin am Altar.

KREON: Oh weh!
1295 Da seh ich Ärmster jetzt mein neues, zweites Leid.
Welch Leid, welches Leid bedroht jetzt mich noch?
Kaum halt ich in den Armen eine Leiche,
Da seh ich Ärmster eine zweite schon.
1300 Oh weh! Arme Mutter! Weh! Armes Kind!

DIENER: Vom Stahl getroffen sank sie sterbend nieder
Am Hausaltar, und eh ihr Auge brach,
Klagt' sie den Schlachtentod des einen Sohnes[2],
Dann diesen andern da, und schließlich fluchte
1305 Sie dir, dem Kindesmörder, alles Böse zu.

Strophe 2

KREON: O weh, o weh!
In Angst flieg ich auf. Warum stößt mir nicht
Ein zweischneidig Schwert ein Mensch in die Brust?
O weh! Ärmster ich!
In Leid, Qual und Schmerzen tief, tief verstrickt!

DIENER: Wohl! Da der Schuld an aller beider Tod
Im Sterben dich dein Weib hat angeklagt.

KREON: O sprich, wie schied die Königin vom Leben?

1310 DIENER: Mit eigener Hand durchbohrte sie ihr Herz,
Als sie des Sohnes schlimmen Tod vernahm.

---

1 „Die Leiche der Eurydike wird mit dem Ekkýklema, einem hölzernen Gestell auf Rädern, aus dem Haus auf die Bühne geschoben." (Giebel, a.a.O., S. 23)

2 Gemeint ist Megareus, der Sohn Eurydikes und Kreons (vgl. Anhang S. 69).

KREON: O weh! Diese Tat nimmt kein Mensch mir ab.
Es bleibt meine Schuld, es ist meine Tat!
Denn ich, armer Sohn, ich war's der dich schlug.
1320 Ja ich! Laut bekenn ich's. Kommt Diener, kommt!
Führt schnell mich davon! Ja, führt schnell mich fort,
1325 Den Mann, der vernichtet, mehr als ein Nichts.
CHORFÜHRER: Das ist das Beste noch in solchem Leid.
Es abzukürzen ist das Beste doch.

Gegenstrophe 2

KREON: So komm, so komm!
Erschein, letzter Tag, erschein, schönster mir!
1330 Du bringst endlich mir das Ziel meiner Qual.
So komm, komm doch nur!
Und lass nimmer schaun mich je andern Tag!
CHORFÜHRER: Das birgt die Zukunft. Heute gilt's zu handeln.
1335 Die Zukunft aber liegt in andrer Hand.
KREON: Nur meines Herzens Wunsch erbat ich mir.
CHORFÜHRER:
Erbitte nichts. Kein Mensch kann dem entrinnen,
Was ihm im Rat des Schicksals vorbestimmt.
KREON: So führt denn hinweg den unsel'gen Mann.
1340 Der dich, liebes Kind, erschlug willenlos,
Und dann dich, du Arme. Weiß nicht, wohin
Ich schaun soll, wohin ich gehen soll? Wohin?
Es wankt alles mir, es traf mich aufs Haupt
Ein Schlag, Schicksalsschlag so hart, furchtbar hart.

Er wird abgeführt.

1345 CHOR: Von allen Glücksgaben ist Einsicht[1] ins Recht
Die erste. Nie darf gegen Gottesgebot
Man freveln. Es tilgt sich vermessenes Wort
In unermesslichem Schicksalsschlag
Und lehrt im Alter noch Einsicht.

---

1 abschließendes Urteil des Chors über Kreons Schicksal; Leitmotive: „Einsicht/Besinnung", „Frevel/vermessenes Handeln"

Anhang

1. Das Menschenbild der Antike

Jean-Pierre Vernant[1]: Der Mensch der griechischen Antike

Was bedeutet für den Griechen das Göttliche, und in welchem Verhältnis steht der Mensch zu ihm?
Die vielzähligen Götter des griechischen Polytheismus[2] besitzen keine als göttlich definierten Eigenschaften. Sie sind
5 weder ewig noch vollkommen, noch allwissend, noch allmächtig; sie haben die Welt nicht erschaffen, sondern sind in ihr und durch sie geboren; sie erschienen in aufeinander folgenden Generationen, in dem Maße, wie sich das Universum ausgehend von den Urprinzipien wie Chaos („das Gäh-
10 nende") und Gaia (Erde) differenzierte und strukturierte. Ihre Transzendenz ist daher äußerst begrenzt; sie besteht nur in Bezug auf die menschliche Sphäre. Ebenso wie die Menschen, wiewohl über ihnen stehend, sind die Götter integraler Bestandteil des Kosmos.
15 Das heißt, für den Griechen besteht zwischen dem Weltlichen und dem Göttlichen nicht jene radikale Trennung, die für uns die natürliche Ordnung vom Übernatürlichen scheidet. Die Wahrnehmung und Erfassung der Welt, in der wir leben, und die Suche nach dem Göttlichen stellen keine
20 voneinander verschiedenen oder einander widersprechenden Bestrebungen dar, sondern können sich verbinden und verschmelzen. Mond, Sonne, Morgenröte, Tageslicht, Nacht und auch ein Berg, eine Höhle, eine Quelle, ein Fluss, ein Wald können bei den Griechen auf der gleichen Empfin-
25 dungsebene erfasst werden wie einer der großen Götter des Pantheons[3]. Sie rufen die gleichen Formen von Respekt

---

[1] Jean-Pierre Vernant, geb. 1914, bekannter französischer Altertumsforscher

[2] Polytheismus (gr.): Glaube an eine Vielzahl von Göttern

[3] Pantheon (gr.).: Heiligtum, das der Gesamtheit der Götter geweiht ist

und bewundernder Ehrerbietung hervor, die auch für das menschliche Verhältnis zu den Göttern charakteristisch sind. Wo verläuft also die Grenze zwischen Menschen und Göttern?
5 Auf der einen Seite stehen jene unsicheren, vergänglichen Wesen, die zu Krankheit, Alter und Tod verdammt sind; nichts von dem, was ihrem Leben Wert und Glanz verleiht – Jugend, Kraft, Schönheit, Anmut, Tapferkeit, Ehre, Ruhm –, ist von Bestand, sondern vergeht und verschwindet für im-
10 mer; alles was kostbar ist, hat ein Übel als Gegensatz und Entsprechung – kein Leben ohne Tod, keine Jugend ohne Alter, keine Anstrengung ohne Erschöpfung, kein Überfluss ohne Mühen, keine Lust ohne Leid. Alles Licht dieser Erde hat seinen Schatten, hinter allem Glanz verbirgt sich Düster-
15 nis. Anders verhält es sich dagegen bei jenen, die Unsterbliche (athanatoi), Glückselige (makares), Mächtige (kreittous) genannt werden – die Götter. Jeder von ihnen verkörpert in seinem jeweiligen Bereich die Kräfte, Fähigkeiten, Tugenden und Segnungen, die den Menschen im Ver-
20 lauf ihres vergänglichen Lebens nur als flüchtiger, getrübter Abglanz, gleich einem Traum, zukommen. Es existiert also eine Kluft zwischen den Geschlechtern der Götter und der Menschen, die dem Griechen der klassischen Zeit sehr deutlich bewusst ist. Er weiß, dass zwischen Menschen und
25 Göttern eine undurchdringliche Grenze besteht, denn trotz der menschlichen Geisteskraft und all dessen, was diese im Laufe der Zeiten entdeckt und erfunden hat, bleibt die Zukunft für den Menschen ein Geheimnis, der Tod unüberwindbar, die Götter unerreichbar und für sein Einsichtsver-
30 mögen ebenso unfassbar, wie der Anblick ihres strahlenden Antlitzes für ihn unerträglich ist. Daher besagt eines der wichtigsten Prinzipien griechischer Weisheit über das Verhältnis zu den Göttern, dass der Mensch nicht versuchen dürfe, auf welche Weise auch immer, sich zu ihnen aufzu-
35 schwingen.

Aus: Jean-Pierre Vernant: Der Mensch der griechischen Antike. Frankfurt/M.: Campus Verlag 1996, ohne Seitenangabe.

2. Das antike Drama

Martin Hose: Das Fest der Polis[1]

Eine der wirkungsmächtigsten Errungenschaften der griechischen Literatur ist das Drama. Seine Geburtsstätte ist Athen. Die Umstände der ‚Geburt' sind freilich dunkel. Bereits im 4. Jh. v. Chr. waren sie umstritten. Sicher ist, dass die drei klassischen dramatischen Formen, Tragödie, Satyrspiel 5 und Komödie, auf einem Brauchtum beruhen, das mit dem Dionysoskult in Verbindung steht. Sicher ist auch, dass mindestens bei der Tragödie ein staatliches Interesse zu einer Art ‚Qualitätssprung' führte, durch den, vielleicht maßgeblich durch einen ‚Erfinder' geprägt, aus bestimmten traditi- 10 onellen Formen der kultischen Verehrung für Dionysos das ‚Drama' wurde.
Dionysos ist ein schillernder, junger Gott, der von außen in eine Gemeinschaft eindringt, sie in Rausch und Ekstase versetzt und so zwar zunächst sprengt, aber auch zu einer 15 neuen Gemeinschaft zusammenfügt. Er ist der Gott des Weines, der für Fruchtbarkeit und Fülle sorgt, zugleich aber auch grausam sein kann. Unter den verschiedenen Formen seiner Verehrung sind die Feste wichtig, die im Zusammenhang mit der Weinproduktion stehen. In Attika wissen wir 20 von fünf Dionysosfesten. Hierunter sind die Anfang Januar *auf dem Land begangenen Dionysien,* für die insbesondere Phallos-Prozessionen bezeugt sind und die daher wohl die Fruchtbarkeit beschwören sollten, die *Lenäen* Ende Januar/ Anfang Februar, bei denen unter reichlichem Weinverbrauch 25 die orgiastische Seite an Dionysos gefeiert wurde, und schließlich die sogenannten *städtischen Dionysien* Ende März, ein Fest, das vielleicht erst im 6. Jh. eingerichtet wurde und ähnliche Funktionen wie die ländlichen Dionysien gehabt haben könnte. Wie diese Feste im 6. Jh. aussahen, ist unbe- 30 kannt. Opfer für den Gott, Festumzüge und Lieder von Chören gehörten gewiss dazu.

---

[1] Polis (gr.): Stadtstaat

Freilich führen Götterkult und Chöre nicht zwangsläufig zu Dramen, wiewohl in den Namen Tragödie und Komödie durchaus auf rituelle Ursprünge verwiesen ist. Denn Tragödie lässt sich zerlegen in *Tragos* (Bock) und *Ode* (Lied), also:
5 Gesang eines Chores zu dem Opfer eines Bockes für Dionysos (Burkert 1966). Komödie bedeutet dagegen Gesang beim *Komos,* dem feierlichen Festumzug. Diese beiden Etymologien[1] deuten an, dass Komödie und Tragödie aus verschiedenen Traditionen erwachsen sind, dass an verschie-
10 denen Punkten an verschiedenen Festen Entwicklungen begannen, die zu dem führten, was man heute zusammenfassend als Drama bezeichnet.
Der Impuls, der aus den Kultchören die Tragödie entstehen ließ, wurde wahrscheinlich von der Kulturpolitik der athe-
15 nischen Tyrannen[2] gegeben. Denn die Peisistratiden[3] mussten, wie auch andere Tyrannen, ihre Macht gegen die alten Adelsfamilien behaupten und sich eine treue Anhängerschaft sichern. Loyalitäten gewann man über Götterfeste, bei denen die Bevölkerung zum Opfer und zum Mahl zusammen-
20 kam – gerade auch das Mahl war für die ärmeren Bürger eine der seltenen Gelegenheiten einer Fleischmahlzeit. Die bei einem Fest versammelte Gemeinde definierte sich aufgrund dieser Gemeinschaft als Einheit. Lagen derartige Feste seit alters in der Hand der Aristokratie, so gelang den
25 Tyrannen der Zugriff auf die Festkultur durch prächtigere Ausstattung älterer oder Stiftung neuer Feste. Dies gilt auch für die städtischen Dionysien. Dieses Fest war vorher unbedeutend oder wurde von den Peisistratiden sogar erst geschaffen. Über den Ablauf und den Charakter dieses
30 Festes zur Zeit der Tyrannis ist wenig bekannt, doch kann Folgendes vermutet werden: Die Peisistratiden wählten bewusst ein Dionysosfest, weil es mit Rausch, Wein und Fröhlichkeit auch die unteren Schichten ansprach – und sie gewinnen sollte. Sie statteten das Fest mit einem Programm

1 Etymologie (gr.): Forschung, die sich mit dem Ursprung und der Geschichte der Wörter befasst.
2 Tyrann: Alleinherrscher (noch nicht in der heutigen Bedeutung von „grausamer Herrscher“)
3 Peisistratos, Peisistratiden (gr.): vornehmer, altadeliger Athener

aus, das möglichst *alle* Phylen[1] beteiligte und damit an diesem Punkt unter den Einfluss der Peisistratiden stellte, das zugleich innovativ und deswegen attraktiv war. Von 534 an ist ein Wettbewerb von Tragödiendichtern mit ihren Produktionen bezeugt. Wie dieser Wettbewerb unter der Tyrannis ablief, wie die Tragödien aussahen, wissen wir nicht. Nur ein Name ist auch der erste Tragiker, der mit dem Wettbewerb von 534 verknüpft ist: *Thespis*. Doch kann man in ihm den genialen ‚Erfinder' sehen, der an die Stelle traditioneller kultischer Chorgesänge eine neue Form setzte: Er führte einen *hypokrites*, ‚Antworter' ein, der dem Chor gegenüberstand, und schuf so, was wir heute als Tragödie bezeichnen. Die Entstehung der Tragödie stand also wahrscheinlich bereits im Zeichen einer Inanspruchnahme von Kunst durch die Politik. Doch verzieh die seit 510 tyrannenfreie Polis diesen Makel. Sie führte ihrerseits die städtischen Dionysien weiter und gestaltete sie zu einem Fest der Selbstrepräsentation aus. Nunmehr erstreckte sich das Fest über insgesamt acht Tage im attischen Monat Elaphebolion (März/April). Der höchste politische Beamte Athens, der Archon[2] Eponymos (so genannt, weil nach ihm das Jahr bezeichnet wurde), leitete es. Am ersten Tag präsentierten die Dichter ihre Stücke beim sogenannten *Proagon* (hierüber ist wenig bekannt), am dritten Tag traten nach der Festprozession zehn Männer- und zehn Knabenchöre, also aus jeder Phyle einer, in den Dithyrambenwettbewerb[3], ferner wurden im Dionysostheater die Tribute der Bündner des Seebundes ausgestellt, erhielten die Söhne der für Athen gefallenen Bürger eine Rüstung und wurden verdiente Bürger geehrt; am vierten Tag folgte seit 486 der Wettbewerb der fünf Komödiendichter, vom fünften bis siebenten Tag der der drei Tragiker mit je einer Tetralogie, also drei Tragödien und einem Satyrspiel. Am siebenten Tag wurden auch die Sieger geehrt.
Die Dionysien waren ein Fest der ganzen Polis: Die Finanzierung der Wettbewerbsbeiträge übernahmen reiche Bür-

[1] Phylen (gr.): Unterabteilung der griechischen Gemeinden
[2] Archon, Archonten (gr.): „Herrscher" nannten die Athener ihre neun jährlich gewählten höchsten Beamten.
[3] Dithyrambos, Dithyramben (gr.): Lied zu Ehren des Dionysos

ger *(Leiturgie* ist hier der Fachausdruck); Bürger bildeten die Chöre, Bürger die Jury, die über die Sieger befand. All dies zeigt, wie sehr hier gleichberechtigte Teilnahme angestrebt wurde.

5 Charakteristisch ist auch die Gleichheit der Rahmenbedingungen für die Dichter. Sie hatten mit derselben Bühne und ihren Möglichkeiten zu operieren, jeder Tragiker konnte in klassischer Zeit nur drei Schauspieler einsetzen (die Komödie vielleicht bis zu vier) sowie einen Chor von 15 Cho-
10 reuten (in der Komödie 24) – allesamt Männer, die auch Frauenrollen zu spielen hatten. Der Ort der Aufführungen war das Theater des Dionysos Eleuthereus am Südosthang der Akropolis, das erst am Ende des 4. Jhs. zu einer steinernen Spielstätte wurde.

15 Das dramatische Spiel in diesem Theater konnte sich auf vier verschiedenen Ebenen entfalten: zunächst in der Orchestra, dem Tanzplatz des Chores, der Keimzelle des Dra-

Das Dionysos Theater am Südhang der Akropolis, die Urform aller antiken Theaterbauten

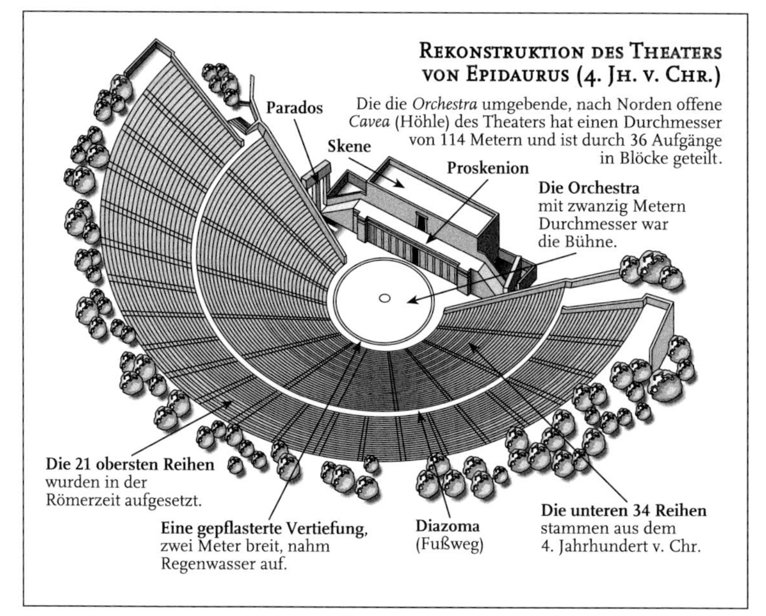

Worterklärungen:
Orchestra: Bühne, urspr. Tanzplatz des Chors
Skene: Bühnenhaus mit Türen für die Auftritte der Schauspieler
Proskenion: Bühnenwand, der Skene vorgelagert
Parados: seitlicher Eingang zur Bühne und zum Zuschauerraum

mas. Vom 4. Jh. an war sie kreisrund – wie im berühmten Theater von Epidauros –, im 5. aber vielleicht eher rechteckig (Pöhlmann 1995). Hinter der Orchestra liegt als zweite Ebene die Bühne, wohl leicht (80 cm) erhoben, dahinter das Bühnenhaus mit drei Türen. Das Dach dieses Hauses war bespielbar und bildete damit die dritte Ebene. Weil dies häufig der Ort für Götterauftritte war, bildete sich hierfür die Bezeichnung *Theologeion*. Hinzu kam aus dem Maschinenpark des Theaters ein Kran *(Geranos)*, an dem eine Art von Korb für Flugszenen als vierte Ebene hing. Griechisches Drama spielt *vor* dem Haus, das in der Tragödie Königspalast, Felsenhöhle, Heerlager oder Bauerngehöft, in der Komödie gewöhnliches Wohnhaus oder gar ein bekannter öffentli-

Darstellung aus dem ionischen Smyrna (1. Jh. v. Chr.): Der Dichter Euripides überreicht Skene, dem personifizierten Theater, in Gegenwart des Gottes Dionysos eine Herakles-Maske.
Die Schauspieler trugen Kostüme und Masken, die aus einem leichten Stoff hergestellt waren und je nach Rolle und Art des Schauspiels (Tragödie oder Komödie) typische Gesichtszüge aufwiesen.

cher Ort sein konnte. Innenszenen waren nicht üblich. Gelegentlich wurde durch die zweite technische Einrichtung, das *Ekkyklema,* ein rollendes Podest, das Innere des Hauses ‚herausgeklappt'.

Aus: Martin Hose, Kleine griechische Literaturgeschichte. Von Homer bis zum Ende der Antike. München: C. H. Beck'sche Verlagsbuchhandlung 1999, S. 91ff.

Martin Hose: Die Form des klassischen Dramas

Die Arbeit der Tragiker am Mythos war intertextuell, sie bearbeiteten die durch die Epen Homers oder die großen lyrischen Gedichte des Stesichoros vorgeformten Versionen eines Mythos für die Bühne. Von Aischylos ist etwa das Wort überliefert, seine Stücke seien Brocken vom Mahle Homers. 5
[...]

Die erfolgreiche Gestaltung eines mythischen Stoffes für die Bühne verlangte vom Dichter, virtuos die technischen und personellen Gegebenheiten einzusetzen, insbesondere die drei Schauspieler und den Chor. Gerade der Chor konnte 10 variabel fungieren, da er durch seine Aufstellung in der Orchestra *zwischen* Publikum und Bühne steht. Dies gab ihm die Möglichkeit, sowohl Mitspieler wie auch Kommentator der Handlung zu sein. Der Dichter musste sein Stück so anlegen, dass nicht mehr als drei Sprechpartien zugleich benötigt wur- 15 den, dass genügend Zeit für Masken- und Kostümwechsel der Schauspieler blieb. Der Schauplatz der Handlung durfte nur eine Außenszene sein, da die Bühne *(skene)* anders nicht eingesetzt werden konnte. Das Geschehen im Haus oder an anderen Orten war durch Boten zu referieren. Szenenwech- 20 sel war unüblich. [...] Obgleich *drama* eigentlich ‚Handlung' bedeutet, wird ‚Handlung' in Berichten vermittelt.
Eine griechische Tragödie besteht aus Versen, die sich in drei Typen teilen: gesprochene Verse (jambische Trimeter), rezitierte Verse, die zu Flötenbegleitung vorgetragen wurden 25 (Anapäste und trochäische Tetrameter), sowie gesungene, lyrische Verse. Der jambische Trimeter ist das Metrum des Sprechverses. Er ist elastisch, lässt Auflösungen zu und näherte sich der gesprochenen Sprache an. Unter den rezitierten Versen haben die Anapäste häufig die Funktion, den 30 Einzug des Chores als Marschrhythmus zu tragen. Die Singverse bilden die Chorlieder und die Arien der Schauspieler, von denen meist nur einer singen konnte, sowie die Wechselgesänge *(Amoibaia)*.
Eine Tragödie begann entweder mit dem Einzug des Chores 35 in die Orchestra *(Parodos)* oder mit einem Schauspieler-Prolog. [...]

Die klassische Tragödie bevorzugt den *Prolog*. In der Prologtechnik unterscheiden sich Sophokles, der einen Dialog zweier Figuren zur Exposition verwendet, und Euripides, der einen zwei- oder dreiszenigen Typ bevorzugt, bei dem ein 5 langer Monolog einer einsamen Figur auf der Bühne gleichsam statisch das Stück eröffnet.

An den Prolog schließt die Parodos an, das Einzugslied des Chores. Entweder singt es der Chor allein, was der ältere Typus zu sein scheint, da ihn Aischylos verwendet, oder es 10 ist als Wechselgesang *(Amoibaion)* zwischen Chor und Schauspieler angelegt. [...] Mit der Parodos hat der Chor seinen Platz in der Orchestra eingenommen. Er strukturiert mit seinen Liedern (Standlieder, *Stasima)* die nun folgenden Akte *(Epeisodia:* ‚Dazueintritte' der Schauspieler). In der Regel gibt 15 es drei bis vier (nie mehr) Stasima pro Stück. Den auf das letzte Stasimon folgenden Teil pflegt man als *die* Exodos zu bezeichnen. Die Lieder sind zumeist strophisch gebaut, sie bestehen aus je zwei oder mehr metrisch identischen Einheiten, Strophe und Gegenstrophe. [...]

20 Ferner beteiligt sich der Chor noch in zwei weiteren Formen gesanglich am Stück: durch kürzere astrophische Lieder (in der Regel nur eines pro Stück) und in Wechselgesängen mit Schauspielern. Diese Wechselgesänge sind – seltener – Freudengesänge, häufiger dagegen lebhafte Klagen, die Chor 25 und Schauspieler in Szenen des Leides anstimmen. Diese Liedtypen haben die Aufgabe, die emotionale Wirkung der Szenen zu erhöhen, während mit den strophischen Liedern eher ein Moment der Ruhe und Reflexion verbunden ist.

Innerhalb der Sprechverspartien sind insbesondere zwei 30 Formen bemerkenswert, der ‚Botenbericht', oftmals über 100 Verse lang, der dem Publikum ein geradezu episches Szenario dessen, was es nicht sieht, vermittelt, und die schnelle Wechselrede, die *Stichomythie*. In ihr sprechen die Beteiligten – zumeist nur zwei, da die Technik des Dreigesprächs nicht 35 hoch entwickelt war – in regelmäßigem Wechsel je einen Vers oder Halbvers. Besonders in Streitszenen beschließt die Stichomythie den in zwei großen antithetischen Reden ausgetragenen Konflikt, da durch sie die Gegensätze noch einmal pointiert und verdichtet vorgestellt werden können. [...]

Aus: Martin Hose: a.a.O., S. 94ff.

Kleines Glossar

Anapäst: gr. anapaistos: Versfuß (◡◡–́), bedeutet „zurückgeschlagener“ bzw. „umgekehrter“

Botenbericht: referiert das Geschehen, das sich im Haus oder an anderen Orten abgespielt hat

Chor: im antiken Drama sowohl Mitspieler als auch Kommentator der Handlung

Dithyrambos: Lied zu Ehren des Dionysos, Vorstufe des Chorliedes und der Tragödie

Dionysien: Festtage zu Ehren des Gottes Dionysos

Epeisodien: die „Dazueintritte“ der Schauspieler

Exodos: (die) gr.: „Ausgang“: auf das letzte Stasimon folgender Textteil, mit dem der Chor die Orchestra verließ

Hypokrites: der „Antworter“, der dem Chor gegenüberstand; dialogische Urform, aus der die Tragödie entstand

Jambus: gr. iambos: Versfuß (◡–́), eigentlich „Pfeil“

Komödie: Gesang beim Komos, dem feierlichen Festumzug

Orchestra: vor den Zuschauerrängen liegender runder Tanzplatz des Chores

Parados: Einzugslied des Chores in die Orchestra (auch als Wechselgesang zwischen Chor und Schauspieler angelegt)

Prolog: Textteil zur Eröffnung des Stücks, bei Sophokles als Dialog zweier Figuren zur Exposition

Satyrspiel: heiteres, fantastisches Spiel mythologischen Inhalts

Stasimon: (pl. Stasima): Standlied des Chors, das die einzelnen Akte (Epeisodia) trennt

Stichomythie: Wechselrede zwischen zwei Figuren, die in regelmäßigem Wechsel je einen Vers oder Halbvers sprechen. Eine Stichomythie beschließt den in Streitszenen ausgetragenen Konflikt, indem sie die Gegensätze noch einmal pointiert herausstellt.

Tetralogie: Ensemble von drei Tragödien und einem Satyrspiel

Tragödie: aus Tragos (Bock) und Ode (Lied), also: Gesang eines Chores zum Opfer eines Bockes für Dionysos. Die Blütezeit der Tragödie war das 5. Jh. v. Chr. Aischylos, Sophokles und Euripides sind die klassischen Tragödiendichter.

Trimeter: jambischer Vers mit 6 Jamben („Dreimaß")

Trochäus: gr.: trochaios, der Versfuß (–◡), der „laufende"

Tetrameter: ein Vers, der sich aus 4 metrischen Einheiten zusammensetzt

3. Biografisches

Martin Hose: Sophokles – Leben und Werk

Sophokles, Kopie nach einer um 330 v. Chr. entstandenen Statue. Rom, Vatikanische Museen

Sophokles (ca. 496–406/5) war ein Athener Musterbürger, der politische Ämter übernahm: 443/2 war er Hellenotamias, also eine Art Finanzbeamter des Attischen Seebundes; 441–39 – im Samischen Krieg – Stratege als Kollege des Perikles; 428 bekleidete er das Amt erneut. 412/11 geriet die athenische Demokratie in eine Krise, hervorgerufen durch die leichte Manipulierbarkeit der Volksversammlung.

Man beschloss deshalb, ein Gremium einzurichten, das die der Volksversammlung vorzulegenden Anträge vorbereiten sollte, die sogenannten *Probulen.* Sophokles wurde einer von ihnen. Dass dieses Gremium wenig später eine verhängnis-
5 volle Rolle spielte, als die Demokratie gestürzt wurde, scheint wenigstens Sophokles' Ruhm nicht geschadet zu haben.
Sophokles wird die ‚Erfindung' des dritten Schauspielers und die Vergrößerung des Chores von 12 auf 15 Choreuten
10 zugeschrieben. Die antike Literaturkritik rühmte insbesondere seine Kunst, mit nur wenigen Strichen eine Figur charakterisieren zu können. Sophokles war eine Art ‚Wunderkind' der Tragödie. 468 beteiligte er sich zum ersten Mal am Agon[1] und gewann. Er schrieb etwa 130 Stücke und wurde
15 nie Dritter, Letzter im Agon. Zwanzigmal soll er bei den Dionysien gewonnen haben. Sieben Stücke sind erhalten, bei nur zweien ist das Aufführungsjahr bekannt: *Der Aias,* der als das älteste Stück gilt; die *Antigone* (vielleicht um 442); die wohl etwas jüngeren *Trachinierinnen;* der *König Oedipus* (zwi-
20 schen 440 und 430); die *Elektra;* der *Philoktet* (409) und der postum 401 aufgeführte *Oedipus auf Kolonos.*
Die Sprache des Sophokles ist schlichter als die des Aischylos. Ein thematisches Zentrum seiner Stücke ist die Suche des Menschen nach Erkenntnis (Diller 1979). Die Wahrheit
25 oder den Götterwillen zu ergründen ist das treibende Motiv in allen erhaltenen Stücken, so auch im berühmtesten, dem *König Oedipus,* in dem der Titelheld auf der Suche nach den Mördern seines Vorgängers Laios gezeigt wird. Oedipus findet heraus, dass er selbst die Ursache des Unheils ist. Er
30 hat Laios, seinen Vater, wie er erfährt, getötet und darauf seine Mutter geheiratet. Erkenntnis und Vernichtung sind in diesem Stück eins. Aristoteles hat diese – übrigens erste – Detektivgeschichte der Weltliteratur fasziniert. In seiner *Poetik* ist sie die vollendete Tragödie schlechthin. An ihr
35 entwickelt er seinen Begriff der *hamartia,* der Verfehlung des Helden.

Aus: Martin Hose: a.a.O., S. 104ff.

---

1 Agon (gr.): Wettkampf

4. Die Vorgeschichte

Lutz Walther, Martina Hayo: Der Stammbaum der Labdakiden

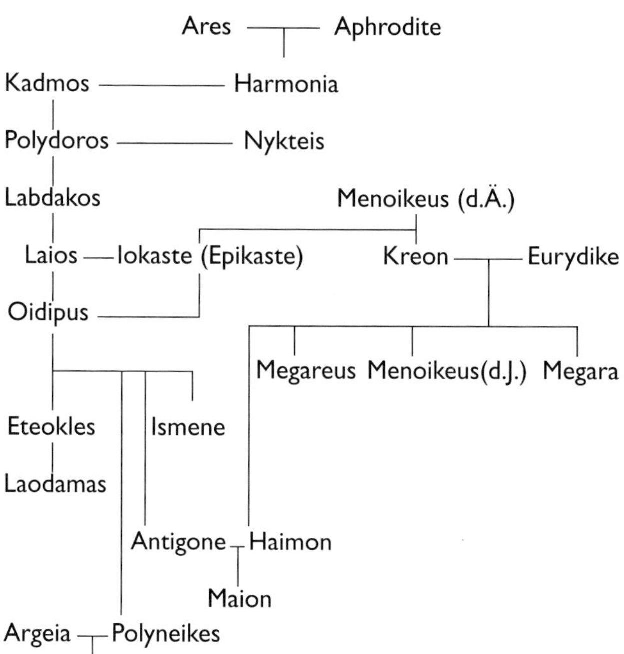

Weitere Personen:
Teiresias Seher von Theben
Theseus König von Athen
Adrastos König von Argos

Heerführer gegen Theben:
Adrastos
Polyneikes
Tydeus
Parthenopaios
Kapaneus
Hippomedon
Amphiaraos

Aus: Lutz Walther, Martina Hayo (Hg.): Mythos Antigone. Leipzig: Reclam Verlag 2004, S. 9

Lutz Walther, Martina Hayo: Der Fluch der Labdakiden

Die Geschichte der Antigone ist Teil des komplexen Sagenkreises um die von Kadmos erbaute Stadt Theben. Nach dem Tode des Labdakos, des Enkels von Kadmos, fällt die Herrschaft an dessen Sohn Laios. Als Labdakos stirbt, ist
5 Laios noch ein Kind, sodass die Regentschaft im Stadtstaat Theben von anderen Familienmitgliedern, namentlich der Tante des Laios, Nykteis, und ihrem Bruder Lykos, ausgeübt werden muss. Laios seinerseits wird von Pelops aufgenommen und erzogen. Den Zwillingsbrüdern und Zeussöhnen
10 Amphion und Zethos gelingt es, Nykteis und Lykos aus Theben zu vertreiben und die Herrschaft eine Zeitlang an sich zu reißen. Als Laios im Exil herangewachsen ist, erteilt er Pelops' Sohn Chrysippos Unterricht im Wagenlenken und verliebt sich in ihn. Er entführt den Jungen und wird von
15 Pelops verflucht: Falls er je einen Sohn bekomme, werde er durch dessen Hand sterben. Nach dem Tod Amphions, der durch den Hochmut seiner Frau Niobe zu Fall kam, kann Laios nach Theben zurückkehren und den Königsthron besteigen. Er heiratet Iokaste (Epikaste in Homers *Odyssee*, XI,
20 271) und zeugt trotz mehrerer Warnungen des Orakels von Delphi eines Nachts im Rausch einen Sohn. Beide Eltern erinnern sich an Pelops' Fluch und übergeben den Säugling mit durchbohrten Fersen einem Diener, damit er ihn im Kithairongebirge aussetze. Dort sollen ihn wilde Tiere und
25 Raubvögel töten und fressen.
Das Kind wird jedoch von Hirten gefunden (oder diesen übergeben) und zu Polybos, dem König von Korinth, gebracht. Dieser gibt ihm den Namen Oidipus (Schwellfuß). Da Polybos und seine Gemahlin Periboia keine Kinder haben,
30 erziehen sie Oidipus wie ihren eigenen Sohn. Als er herangewachsen ist, kommen ihm Gerüchte zu Ohren, dass er nicht aus Korinth stamme, worauf er seinerseits das Orakel von Delphi nach seiner Herkunft und seinen Eltern befragt. Das Orakel geht jedoch nicht auf seine Fragen ein, sondern
35 antwortet, er solle nicht in seine Heimat zurückkehren, da er sonst seinen Vater töten und seine Mutter heiraten werde. Erschreckt von dieser Nachricht, entscheidet sich Oidi-

pus, nicht zurück nach Korinth, sondern in das benachbarte Theben – also unwissentlich in seine eigentliche Heimat – zu gehen. Auf einem Hohlweg begegnet er Laios mit einigem Gefolge. Der Aufforderung, den Weg frei zu machen, widersetzt sich Oidipus, worauf es zu einem Streit kommt, in dessen Verlauf einer von Laios' Gefolgsleuten eines der Pferde des Oidipus ersticht. Oidipus seinerseits gerät in Zorn und tötet sowohl den Gefolgsmann als auch Laios, ohne ihn als seinen leiblichen Vater erkannt zu haben. In Theben eingetroffen, gelingt es Oidipus, das Rätsel der Sphinx – das von Zeus' Gattin Hera geschickte Flügelwesen, das Unglück und Krankheiten über die Stadt gebracht hatte – zu lösen. Die Sphinx fragte nach einem Wesen, das eine Stimme habe und bald vierfüßig, bald zweifüßig, bald dreifüßig gehe. Nachdem Oidipus errät, dass dieses Wesen der Mensch sei, erhält er vom neuen thebanischen Herrscher, Kreon, die Königswürde über Theben und die Hand seiner Schwester Iokaste, der Witwe des Laios und leiblichen Mutter des Oidipus. Sowohl der Fluch des Pelops als auch das Orakel von Delphi haben sich erfüllt (Sophokles, *König Oidipus*).
Oidipus und Iokaste regieren etwa zwanzig Jahre glücklich in Theben und bekommen vier Kinder: Eteokles, Polyneikes, Antigone und Ismene. (Die Reihenfolge der Geburten variiert, aber allgemein wird Eteokles als das älteste und Ismene als das jüngste Kind angesehen. Manche betrachten die Söhne als Zwillinge.) Als eines Tages wieder eine Seuche über Theben kommt, verkündet das Orakel, sie werde erst enden, nachdem der Mörder des Laios ausfindig gemacht worden ist. Der alte Diener des Laios, der Oidipus als Kleinkind ins Gebirge gebracht hatte, gesteht die Tat. Entsetzt über die Erkenntnis der

Antigone stützt den blinden Oidipus; darunter kämpfend: Eteokles und Polyneikes. Miniatur aus einer Ausgabe der Tragödien des Seneca, 1475; Venedig, Biblioteca Marciana

Die Sieben gegen Theben vom Tempel A in Pyrgi, um 480-470 v.Chr. Terrakotta Rom, Museo Nazionale di Villa Giulia
Erläuterung: Das Relief stellt eine der entscheidenden Episoden aus der Sage der Sieben gegen Theben dar, die als Paradigma für frevlerisches Handeln verstanden werden kann: In der rechten Bildhälfte tötet Zeus den Frevler Kapaneus mit dem Blitz, während die furchterregende Athena am linken Bildrand dem Tydeus wegen seines Bisses in den Kopf des Melanippos die Ambrosia verweigert.

Blutschande, sticht sich Oidipus die Augen aus; Iokaste erhängt sich. (In Euripides' *Phoinikierinnen* bleibt sie am Leben.) Oidipus verfügt, dass seine Söhne Eteokles und Polyneikes im jährlichen Wechsel die Nachfolge als Könige Thebens antreten sollen. Er selbst stirbt wenig später in Theben oder wird genötigt, die Stadt zu verlassen. Von Antigone geführt, flieht er nach Kolonos bei Athen, wo er vom dortigen König Theseus Asyl erhält und friedlich stirbt (Sophokles, *Oidipus auf Kolonos*).

Der erwünschte jährliche Thronwechsel zwischen Eteokles und Polyneikes findet aufgrund von Eteokles' Weigerung, die Königswürde nach einem Jahr wieder abzugeben und damit Unruhe in der Stadt hervorzurufen, nicht statt. Polyneikes verlässt daraufhin Theben und begibt sich zu König

Adrastos nach Argos, wo er gleichzeitig mit dem ebenfalls aus seiner Heimat Kalydonien geflohenen Tydeus eintrifft. Adrastos glaubt, dass sich durch beider Ankunft ein altes Orakel erfülle, und verheiratet sie mit seinen Töchtern: Polyneikes erhält Argeia, Tydeus Deipyle. Einige Jahre später 5 gelingt es Polyneikes, Adrastos davon zu überzeugen, mit ihm und fünf bzw. sieben weiteren Heerführern gegen Theben zu ziehen, um Eteokles die Königswürde zu entreißen. [...]
Es kommt zum Krieg zwischen Argos und Theben, in dessen 10 Verlauf alle angreifenden Heerführer (bis auf Adrastos) fallen. Eteokles und Polyneikes töten sich gegenseitig im Zweikampf (Aischylos, *Sieben gegen Theben*). [...]

Eteokles und Polyneikes. Henkel eines etruskischen Kruges. Paris, Louvre

Kreon, der Bruder der Iokaste, wird erneut Herrscher über Theben. Er verfügt, dass der alte König, Eteokles, würdevoll 15 bestattet wird, während sein Bruder, der „Verräter" Polyneikes, unbeerdigt vor den Toren der Stadt verwesen und den Tieren und Vögeln zum Fraß dienen soll. (Bei Euripides geht das Verbot auf eine Verfügung von Eteokles zurück.) Antigone beschließt, Kreons Verbot zu missachten und Po- 20 lyneikes zu beerdigen, indem sie symbolisch ein wenig Sand auf seinen Leib streut. Sie möchte damit gewährleisten, dass

Antigones Weihguss am Grab des Polyneikes. Metropolitain Museum, New York

der Tote in der Unterwelt aufgenommen wird. (In einer vielleicht älteren und später wieder aufgenommenen Version – Ovid, Statius, Hyginus – wird Polyneikes von Antigone und seiner Gattin Argeia nachts auf einen Scheiterhaufen gezogen und am nächsten Tag verbrannt. Zufällig handelt es sich um den Scheiterhaufen des Eteokles, sodass, als er in Brand gesteckt wird, zwei Flammen emporschießen und einander bekämpfen [Pindar]. Eteokles und Polyneikes sind auch im Tod nicht versöhnt.) Als Kreon von Antigones Tat erfährt, lässt er den Sand von der Leiche entfernen und Wachen aufstellen. Diese nehmen Antigone bei ihrem zweiten Beerdigungsversuch fest und führen sie vor Kreon. Sie gesteht die Tat ohne Reue und im Bewusstsein, nach dem Willen der Götter gehandelt zu haben, worauf Kreon sie zur Strafe lebendig in eine Höhle einmauern lässt. Teiresias, der Seher von Theben, appelliert an Kreon, die Härte der Strafe zu überdenken, und prophezeit ihm ein leidvolles Schicksal, falls er sich weiterhin so hartherzig zeige. Kreon lässt sich umstimmen und beschließt, Antigone zu befreien, doch es ist zu spät: Sie hat sich bereits an ihrem Gürtel erhängt. Als Haimon, der Sohn des Kreon und Antigones Verlobter, von ihrem Selbstmord erfährt, zieht er das Schwert gegen seinen Vater. Da dieser jedoch zurückweicht und der Streich misslingt, richtet er die Waffe gegen sich selbst. Ebenso begeht

Antigone mit zwei Wächtern vor Kreon (Lukanischer Krater, London, etwa 380/70)

Kreons Frau Eurydike Selbstmord, als sie von den Vorfällen erfährt (Sophokles, *Antigone*). Ismene ist somit die letzte Überlebende der Labdakiden, die Einzige, die der Familienfluch nicht trifft.

Die im Krieg zwischen Eteokles und Polyneikes unterlegenen Argeier sind gezwungen, die Leichen ihrer Heerführer unbeerdigt vor den Mauern Thebens zurückzulassen. Nachdem die Mütter und Frauen der Toten durch Adrastos von der Niederlage erfahren haben, beschließen sie, nach Athen zu gehen, um König Theseus um Hilfe zu bitten. Dieser zeigt zunächst wenig Interesse, da er den gescheiterten Angriff der Argeier gegen Theben als töricht verurteilt. Er lässt sich jedoch umstimmen, weil er sich aufgrund verwandtschaftlicher Beziehungen zur Hilfe verpflichtet fühlt. So kommt es zum Krieg zwischen den Söhnen der sieben Heerführer (Epigonen), den mit ihnen verbündeten Athenern und Theben. Kreon wird von Theseus getötet, die Toten werden geborgen und in Athen beerdigt (Euripides, *Die Schutzflehenden*).

Aus: Lutz Walther, Martina Hayo (Hrg.): a.a.O., S. 11ff.

Griechenland im Altertum

MARMARA-MEER
HELLESPONT
PHRYGIEN
Troja
KLEINASIEN
Lesbos
Chios
Samos
Andros
Tenos
Mykonos
Delos
Meer

5. Moderne Antigonen

Jean Anouilh, Antigone

Einleitung

Jean Anouilh, geb. 1910 in Bordeaux, gestorben 1987 in Lausanne, ist einer der bekanntesten Bühnenautoren Frankreichs. Er selbst nennt sich bescheiden einen „Stückefabrikanten", der mit seinem Theater die Menschen unterhalten will, damit sie ihr Schicksal und den Tod vergessen.
Die „Antigone" entstand 1942 und wurde 1944 in dem von den Nationalsozialisten besetzten Paris uraufgeführt. Trotz der bedrückenden politischen Situation und der widrigen Umstände fand das Stück große Resonanz und blieb in den folgenden Jahrzehnten eines der am häufigsten aufgeführten Werke des modernen französischen Theaters.
Der Erfolg bei den Zeitgenossen lässt sich sicherlich auch darauf zurückführen, dass sich widersprüchliche politische Lager in der „Antigone" repräsentiert sahen. Einerseits wurde das Stück von der Résistance, der französischen Widerstandsbewegung während der deutschen Besatzung, in Anspruch genommen. Sie sah in der Antigone-Figur die Personifikation des Widerstands gegen die deutschen Besatzer. Andererseits fand sich die politische Rechte in Kreons Argumenten wieder. Das Stück stellt nämlich den König als den Antigone ebenbürtigen Gegner dar, dessen Position mit der faschistischen Staatsgewalt übereinstimmt.

Jean Anouilh

Einseitige politische Lesarten halten allerdings einem kritischen Blick auf den Text nicht stand. Erst wenn man Anouilh vor dem Hintergrund des Urtextes von Sophokles liest, zeigen sich Deutungen, die den Text in seiner Komplexität wahrnehmen und seine Aussage umfassender verstehen lassen. Sophokles und Anouilh: Das eine Werk erhellt also den Gehalt des anderen, wie Käte Hamburger in ihrer lesenswerten Interpretation des Stückes schreibt: „Von Anouilhs ‚Antigone' her wird in der Sophokleischen etwas ans Licht gebracht, das, wie Reinhardt sagte, rätselhaft geblieben war. [...] Hier (bei Anouilhs Bearbeitung, M.B.) handelt es sich nicht um Fakten, sondern um ein Lebensgefühl, ein durchaus modernes Lebensgefühl, das dennoch der Anlass zur Neugestaltung gerade der Sophokleischen ‚Antigone' werden konnte. Das aber bedeutet in diesem Falle, dass sowohl von dem modernen Werk ein erhellendes Licht auf das antike zurückfällt, wie auch umgekehrt das moderne sich vom antiken her aufschließt. Eine Verquickung und Wechselseitigkeit eigentümlicher Art, wie sie – soweit ich sehe, – in dieser Weise in der Geschichte der Beziehungen antiker und moderner Griechendramen sonst nicht vorkommt und die sich freilich auch nur bei tiefer dringender Analyse beider Werke ergibt."[1]

Personenverzeichnis und Handlungsübersicht

Anouilh übernimmt in seinem Stück den Rahmen der antiken Vorlage: Handlungsort ist die Stadt Theben, Handlungszeit der frühe Morgen des Tages, der der Proklamation des Bestattungsverbots durch Kreon folgt. Die Abfolge der Handlungsschritte ist identisch: Antigone kehrt von der Bestattung des Bruders zurück, es folgt die Auseinandersetzung mit ihrer Schwester Ismene und (in Abweichung von der antiken Vorlage) eine letzte Begegnung mit Haimon, ihrem Verlobten. Ebenso entsprechen die Festnahme Antigones und die Verurteilung durch Kreon der antiken Vorlage. Nach Haimons vergeblichem Versuch, seinen Vater umzustimmen, verkündet ein Bote das Ende: Antigone hat sich erhängt, Haimon hat sich, seinen Vater verfluchend, mit dem Schwert erstochen. Auch Eurydike hat sich umgebracht.

[1] Käte Hamburger: Von Sophokles zu Sartre. Griechische Dramenfiguren antik und modern. Stuttgart 1962, S. 192f.

Kreon, einziger Überlebender des Dramas, verlässt die Szene in Begleitung seines Pagen.

Sophokles	**Anouilh**
Antigone	Antigone
Ismene	Ismene
	Die Amme
Eurydike	Eurydike
Kreon	Kreon
Haimon	Hämon
Wächter	Wächter
Bote	Ein Bote
Chor	Sprecher
Teiresias	

Szenenfoto aus der Aufführung der Schaubühne München (1972).
Regie: Heinrich Koch

Textauszüge[1]

[Bevor die eigentliche Handlung beginnt, stellt der Sprecher (le prologue = Nachfolger des antiken koryphaios, des Führers des Chors) alle Mitspieler des Stücks vor. Er skizziert ihren Charakter und ihre Rolle und gibt bereits zu diesem Zeitpunkt Hinweise auf den Konflikt und das Ende der Handlung. Er tut das ganz unbeteiligt und im Gegensatz zum antiken Chor in schlichter Alltagssprache.]

Neutrales Bühnenbild. Im Hintergrund drei gleiche Türen. Beim Aufgehen des Vorhangs sind alle Personen auf der Bühne. Sie plaudern, stricken oder spielen Karten. Der SPRECHER *tritt vor.*

SPRECHER: So ... Diese Leute werden euch jetzt die Geschichte der Antigone spielen. Antigone ist die kleine Magere, 5 die da drüben sitzt und schweigt. Starr blickt sie vor sich hin und denkt. Sie denkt, dass sie nun gleich Antigone sein wird, dass sie plötzlich nicht mehr das schmächtige, schwarze, verschlossene Mädchen ist, das keiner in der Familie ernst nimmt, sondern dass sie sich allein gegen 10 die Welt stellen wird und gegen KREON, ihren Onkel, der König ist. Sie denkt daran, dass sie sterben muss und – weil sie ja noch so jung ist – dass auch sie gerne noch leben möchte. Aber man kann ihr nicht helfen. Sie heißt Antigone und muss ihre Rolle durchhalten bis zum Ende. 15 Seit der Vorhang aufgegangen ist, fühlt sie, wie beängstigend schnell sie sich von ihrer Schwester Ismene entfernt, die dort mit einem jungen Mann plaudert und scherzt. Sie löst sich von uns allen, die wir heute Abend nicht zu sterben brauchen und ihr ruhig zusehen können. 20
Der junge Mann da, mit dem die blonde, schöne, glückliche Ismene spricht, ist Hämon, KREONs Sohn, der Verlobte Antigones. Eigentlich zog ihn alles zu Ismene: seine Lust am Tanzen und Spielen, seine Freude am Glück und leichten Erfolg, seine Sinnlichkeit – denn Ismene ist schöner 25 als Antigone. Aber eines Abends auf einem Ball, nachdem er nur mit Ismene getanzt hatte – sie hatte bezaubernd

[1] Aus: Jean Anouilh: Antigone. Ins Deutsche übertragen von Franz Geiger. Albert Langen, Georg Müller Verlag, München, Wien, 19. Aufl. 1993

ausgesehen in ihrem neuen Kleid –, da ging er zu Antigone, die in einer Ecke saß, ihre Arme um die Knie geschlungen, so wie jetzt. Hämon bat sie, seine Frau zu werden. Keiner konnte jemals begreifen, warum er das getan hatte. Antigone blickte mit ihren ernsten Augen ohne Überraschung zu ihm auf und sagte: „Ja" – mit einem kleinen traurigen Lächeln ... Die Musik spielte zu einem neuen Tanz auf und Ismene, umgeben von anderen jungen Herren, lachte laut. Und nun soll er Antigone heiraten. Er weiß ja nicht, dass es nie einen Gemahl Antigones geben kann auf dieser Welt und dass sein fürstlicher Stand ihm nur das Sterben erlaubt.
Der kräftige, weißhaarige Mann, der nachdenklich dort neben seinem Pagen sitzt, das ist Kreon. Er ist der König. Er hat Runzeln und ist müde. Er versucht sich in dem mühsamen Spiel, die Menschen zu führen. Früher, zu Ödipus' Zeiten, als er nur der Erste bei Hofe war, liebte er Musik, schöne Einbände und lange Streifzüge durch die Antiquariate von Theben. Aber Ödipus und seine Söhne sind tot. Er verließ seine Bücher und Sammlungen, krempelte die Ärmel auf und begann zu regieren.
Abends, wenn er dann müde ist, fragt er sich oft, ob es nicht sinnlos sei, die Menschen führen zu wollen, ob es nicht ein schmutziges Geschäft sei, das man weniger empfindsamen Naturen überlassen solle. Doch am nächsten Morgen erwarten ihn neue Aufgaben, und er steht auf, gelassen wie ein Arbeiter, der an sein Tagewerk geht. [...]

So, nun kennt ihr sie alle, und die Geschichte kann beginnen. Sie fängt damit an, dass die zwei Söhne von Ödipus, Eteokles und Polyneikos, in Streit geraten waren und sich vor den Stadtmauern gegenseitig erschlagen hatten. Denn jeder sollte immer abwechselnd ein Jahr über Theben regieren. Aber nachdem das erste Jahr verstrichen war, hatte sich Eteokles, der ältere, geweigert, die Herrschaft seinem Bruder zu übergeben. Sieben mächtige ausländische Fürsten, die Polyneikos zu Hilfe gekommen waren, wurden vor den Toren Thebens geschlagen. Die Stadt ist gerettet, und die feindlichen Brüder sind beide tot. Kreon, der neue König, ordnete für den guten Bruder Eteokles ein großartiges Begräbnis an. Polyneikos aber, der Taugenichts, der Aufrührer, soll unbeweint und unbestattet auf dem Schlachtfeld liegen bleiben, den Raben und Schakalen zum Fraß. Jeder, der sich unterstehen sollte, ihm den letzten Dienst zu erweisen, wird erbarmungslos mit dem Tode bestraft.

Während der letzten Sätze des SPRECHERS sind die Personen nacheinander abgegangen.
Der SPRECHER verschwindet. [...]

[Antigone schleicht sich im Morgengrauen ins Haus. Sie hat entgegen Kreons Verbot die Leiche Polyneikes' mit Erde bedeckt. Zuerst trifft sie auf die Amme, die vermutet, Antigone komme von einem Liebhaber. Danach erscheint Ismene, später Hämon.]

ISMENE tritt ein.

ISMENE: Du bist schon auf? Ich war in deinem Zimmer.
ANTIGONE: Ja, ich bin schon auf.
AMME: Seid ihr denn beide verrückt geworden, dass ihr vor den Dienstboten aufsteht: Was für ein Unsinn, mit nüchternem Magen in aller Frühe herumzulaufen! Das schickt sich doch nicht für Prinzessinnen! Und nicht einmal ganz angezogen seid ihr! Ihr werdet mir noch krank.
ANTIGONE: Schon gut, Amme. Wir frieren bestimmt nicht. Es ist ja bald Sommer. Komm, bring uns etwas Kaffee. Sie setzt sich müde. Ein bisschen Kaffee täte mir jetzt gut.
AMME: Mein armes Täubchen. Sie ist ja ganz schwindlig vor Hunger, und ich stehe da blöd herum, statt ihr etwas Warmes zu geben.

Geht schnell hinaus.

ISMENE: Bist du krank?
ANTIGONE: Es ist nichts. Ich bin nur ein wenig müde ... *lächelt* weil ich so früh aufgestanden bin.
ISMENE: Ich habe auch nicht geschlafen.
ANTIGONE: Du musst aber schlafen, sonst bist du morgen nicht schön.
ISMENE: Lach mich nicht aus. [...]

ISMENE: Die ganze Nacht musste ich daran denken. Du bist wahnsinnig, Antigone.
ANTIGONE: Ja.
ISMENE: Wir können es nicht tun.
5 ANTIGONE *nach einer Pause*: Warum nicht?
ISMENE: Er wird uns töten lassen.
ANTIGONE: Sicher. Jeder tut, was er muss. Er muss uns töten lassen, und wir müssen unseren Bruder bestatten. So sind die Rollen verteilt. Was sollen wir sonst tun?
10 ISMENE: Ich will nicht sterben.
ANTIGONE *ruhig*: Glaubst du, ich will gerne sterben?
ISMENE: Höre, ich habe die ganze Nacht lang nachgedacht. Ich bin die Ältere von uns – und die Vernünftigere. Du stürzt dich immer auf den nächstbesten Gedanken – und
15 wenn es die größte Dummheit ist. Ich bin doch viel abwägender und überlegter.
ANTIGONE: Manchmal darf man gar nicht so viel überlegen.
ISMENE: Doch, Antigone, doch! Natürlich ist es grauenhaft, und unser Bruder tut mir genauso leid wie dir. Aber ich
20 kann auch unseren Onkel ein wenig verstehen.
ANTIGONE: Ich will nicht ein wenig verstehen!
ISMENE: Er ist der König – er muss ein Beispiel geben.
ANTIGONE: Und ich bin kein König und muss kein Beispiel geben. Ich weiß schon, wie man immer sagt: die kleine,
25 böse, dickköpfige, schlechte Antigone. Und dann schließt man sie irgendwo ein. Ganz recht geschieht ihr, warum war sie so ungehorsam! [...]

HÄMON tritt auf.

ANTIGONE: [...] Höre, Hämon ...
30 HÄMON: Was gibt's, meine kleine Närrin?
ANTIGONE: Ohne dass du immer „meine kleine Närrin“ sagst und mich auslachst.
HÄMON: Was hast du mir denn zu sagen? Das ist wieder so ein Einfall von dir, dass du mich kurz nach Sonnenauf-
35 gang zu dir bestellst. Und wenn ich jetzt verschlafen hätte?
ANTIGONE *leise*: Das wäre furchtbar gewesen.
HÄMON *sie im Arm haltend*: Gefällt es dir so?
ANTIGONE: Ja. Eine Minute noch so. [...]

ANTIGONE: Halte mich ganz fest. So fest wie noch nie, dass ich deine ganze Kraft in mir aufnehme.
HÄMON: So, ganz fest.
ANTIGONE: Schön! *Sie bleiben einen Augenblick ganz ruhig stehen, dann sagt* ANTIGONE *leise* Höre, Hämon! 5
HÄMON: Ja?
ANTIGONE: Weißt du, der kleine Junge, den wir haben wollten ...
HÄMON: Ja? ...
ANTIGONE: Wie hätte ich ihn gegen alles beschützt und verteidigt! Ganz fest hätte ich ihn an mich gedrückt, dass er 10 sich nie vor etwas gefürchtet hätte. Unser Junge, Hämon! Er hätte zwar eine kleine, zerzauste Mutter gehabt, aber vielleicht wäre sie besser gewesen als alle anderen mit ihren prallen Brüsten und ihren großen Schürzen. Das glaubst du doch auch, nicht wahr? 15
HÄMON: Doch Liebling ...
ANTIGONE: Und glaubst du auch, dass ich eine richtige Frau gewesen wäre?
HÄMON *lächelt*: Eine richtige Frau. [...]
ANTIGONE *leiser*: Ich war gekommen, weil du mich ganz neh- 20 men solltest, weil ich schon vorher deine Frau werden wollte. *Er will sprechen, sie schreit* Du hast geschworen, nichts zu fragen, Hämon, du hast geschworen. *Leiser* Ich fleh dich an ... *Sie wendet sich wieder ab, dann entschlossen* Ich will dir sagen, warum. Ich wollte schon vorher deine 25 Frau sein, weil ich dich sehr, sehr lieb habe und weil ... jetzt werde ich dir sehr weh tun, Liebster – weil ich dich niemals heiraten werde – niemals. *Er ist stumm vor Staunen; sie läuft ans Fenster und schreit* [...]
Vor ihrer Verzweiflung gehorcht HÄMON *und entfernt sich* 30 *langsam* Ja, geh bitte, Hämon, das ist das Einzige, was du für mich tun kannst, wenn du mich lieb hast. *Er ist hinausgegangen. Sie blickt geraume Zeit bewegungslos zum Fenster hinaus, den Rücken zum Zimmer. Dann schließt sie es, setzt sich auf einen Stuhl und sagt, seltsam beruhigt* So, Hämon 35 hat es hinter sich.
ISMENE *tritt ein, rufend*: Antigone ... Ach, da bist du ja.
ANTIGONE *regungslos*: Ja, hier bin ich.
ISMENE: Ich kann nicht schlafen. Ich hatte solche Angst, du könntest fortlaufen und sogar am helllichten Tag 40

versuchen, ihn zu bestatten. Antigone, liebe Schwester, sieh, wir sind doch alle bei dir, Hämon, die Amme, ich und auch dein Hund. Wir alle haben dich lieb und brauchen dich zu unserem Leben. Der tote Polyneikos aber liebte dich nicht. Er war für uns alle ein Fremder, ein schlechter Bruder. Vergiss ihn, Antigone, so wie er uns vergessen hatte. Und wenn es Kreons Gesetz verlangt, dann eben soll sein Schatten ewig ohne Grab umherirren. Versuche nicht etwas, was deine Kräfte übersteigt. Du möchtest immer allem trotzen, aber dazu bist du noch zu klein. Bleib bei uns und lauf nicht weg. Ich bitte dich.

ANTIGONE *steht auf, lächelt, geht zur Türe und sagt ruhig*: Es ist zu spät. Als du mich heute morgen sahst, kam ich davon zurück. *Sie geht hinaus, ISMENE folgt ihr schreiend.*

ISMENE: Antigone, Antigone! *ISMENE ist ihr nachgelaufen. [...]*

[Ein Wächter macht Kreon Meldung, dass jemand die Leiche bedeckt habe. Kreon verpflichtet den Wächter zu absolutem Stillschweigen. Bei ihrem zweiten Versuch wird Antigone gefasst.]

ANTIGONE wird von den WÄCHTERN auf die Bühne gestoßen.

SPRECHER: Sehen Sie, schon geht es an. Nun haben sie die kleine Antigone erwischt. Zum ersten Mal in ihrem Leben wird sie ganz sie selbst sein können.

Der SPRECHER verschwindet, während ANTIGONE von den WÄCHTERN bis zur Bühnenmitte gestoßen wird. [...]

KREON tritt auf, sofort brüllt der WÄCHTER.

WÄCHTER: Achtung, stillgestanden!

KREON *der überrascht stehen bleibt*: Lasst sofort das Mädchen los! Was soll denn das heißen!

WÄCHTER: Wir sind die Wache. Meine Kameraden sind auch mitgekommen.

KREON: Wer ist jetzt bei der Leiche?

WÄCHTER: Unsere Ablösung.

KREON: Ich habe euch doch befohlen, dass ihr sie wegschickt.

Außerdem habe ich ausdrücklich gesagt, dass ihr kein Wort verlauten lassen dürft.

WÄCHTER: Wir haben auch nichts gesagt. Aber wie wir die da verhaftet haben, dachten wir, es wäre besser, wenn wir alle mitkämen. Dieses Mal haben wir nicht gelost. Wir sind lieber gleich alle drei gekommen.

KREON: Idioten! *Zu ANTIGONE* Wo haben sie dich denn festgenommen?

WÄCHTER: Bei dem Toten natürlich.

KREON: Was wolltest du bei der Leiche deines Bruders? Du weißt genau, ich habe verboten, dass man sich ihr nähert.

WÄCHTER: Was sie dort tat? Deswegen bringe ich sie ja her. Mit ihren Händen kratzte sie in der Erde herum. Sie wollte ihn schon wieder zuschaufeln. [...]

KREON *zu ANTIGONE*: Ist das wahr?

ANTIGONE: Ja, es ist wahr.

WÄCHTER: Darauf legten wir den Körper nochmals vorschriftsmäßig frei und übergaben ihn der Ablösung, ohne von dem Vorfall etwas zu erwähnen. Sie aber brachten wir hierher.

KREON: Und heute Nacht, beim ersten Mal, da warst du es auch?

ANTIGONE: Ja, da war ich es auch. Mit der kleinen Eisenschaufel, mit der wir in den Ferien am Strand unsere Sandburgen bauten. Die Schaufel gehörte Polyneikos. Er hatte mit einem Messer seinen Namen in den Stiel eingekerbt. Deswegen ließ ich sie auch bei ihm liegen. Aber man nahm sie weg. Darum musste ich das zweite Mal mit den Händen arbeiten. [...]

Die WÄCHTER werden vom Pagen hinausgeführt. KREON und ANTIGONE sind allein.

KREON: Hast du jemand von deinem Vorhaben erzählt?

ANTIGONE: Nein.

KREON: Hast du jemand unterwegs getroffen?

ANTIGONE: Nein, niemand.

KREON: Bist du sicher?

ANTIGONE: Ja.

KREON: Dann höre. Du gehst jetzt augenblicklich auf dein Zimmer und legst dich ins Bett. Du sagst, du wärst krank und hättest das Haus seit gestern nicht mehr verlassen. Deine Amme wird das Gleiche sagen. Ich lasse die drei
5 Männer verschwinden.

ANTIGONE: Warum? Du weißt ganz genau, dass ich es dann morgen nochmals versuchen werde.

KREON: Warum wolltest du deinen Bruder beerdigen?

ANTIGONE: Weil ich es muss.

10 KREON: Du weißt, dass ich es verbot.

ANTIGONE *ruhig*: Und trotzdem musste ich es tun. Du weißt, dass die Unbeerdigten ewig herumirren, ohne jemals Ruhe zu finden. Wenn mein Bruder noch lebte und von einer Jagd nach Hause gekommen wäre, hätte ich ihm die
15 Schuhe ausgezogen, hätte ihm zu essen gegeben und ihm sein Bett bereitet. – Heute ist Polyneikos am Ende seiner Jagd angelangt. Er kehrt in das Haus zurück, wo mein Vater, meine Mutter und auch Eteokles ihn erwarten. Es ist sein Recht, sich auszuruhen. [...]

20 KREON: Höre!

ANTIGONE: Ich will nicht, ich will nichts hören. Du hast ja gesagt! Du hast mir nichts mehr zu sagen, du nicht! Warum hörst du mir so ruhig zu? Willst du, dass ich dir alles ins Gesicht sage, weil du deine Wächter nicht rufst?

25 KREON: Du amüsierst mich!

ANTIGONE: Nein, aber Angst mach ich dir. Du willst mich nur retten, weil es sicher viel bequemer ist, eine kleine, schweigsame Antigone irgendwo im Palast zu halten. Du bist noch etwas zu empfindlich, um einen guten
30 Tyrannen abzugeben. Aber im Grunde weißt du genau, dass du mich töten lassen musst. Und weil du es weißt, deswegen hast du Angst. Ein Mann, der Angst hat, ist erbärmlich!

KREON *still*: Ja ... gut, ich habe Angst. Bist du jetzt zufrieden?
35 Ich habe Angst, dass ich dich töten lassen muss, wenn du nicht nachgibst. Ich möchte es nicht.

ANTIGONE: Ich, ich muss nicht tun, was ich nicht möchte. Wolltest du vielleicht auch meinem Bruder das Grab nicht verweigern? Jetzt sage nur, dass du es nicht wolltest!

40 KREON: Ich habe es dir schon gesagt.

ANTIGONE: Und trotzdem hast du es getan. Und jetzt wirst du mich töten lassen, ohne es zu wollen. Und das heißt König sein!

KREON: Ja, so ist es.

ANTIGONE: Armer Kreon! Mit meinen verrissenen, erdigen Fingernägeln, mit den blauen Flecken am Arm vom harten Griff deiner Wächter und mit meiner ganzen Angst, die mir die Eingeweide zerwühlt, bin ich doch Königin!

KREON: Dann hab Mitleid mit mir. Ruhe und Ordnung in Theben sind teuer genug bezahlt mit dem faulenden Leichnam vor meinem Haus. Sieh, mein Sohn liebt dich. Ich will dich nicht auch noch opfern müssen. Ich habe wirklich schon genug bezahlt.

ANTIGONE: Nein – denn du hast ja gesagt. Dafür wirst du von jetzt an immer bezahlen müssen.

KREON *außer sich, schüttelt sie*: Mein Gott, versuche doch endlich zu begreifen. Ich gebe mir ja auch Mühe, dich zu verstehen. Irgendjemand muss schließlich ja sagen. Es muss doch einer da sein, der das Schiff steuert. Überall dringt schon Wasser ein, Verbrechen, Dummheit und Elend sind an Bord. Das Steuerruder schlägt hin und her, die Mannschaft lungert herum und denkt nur ans Plündern, und die Herren Offiziere bauen sich schon ein kleines sicheres Floß, das nur für sie da ist, mit Trinkwasser und Vorräten ausgestattet, um sich in Sicherheit zu bringen. Der Mast kracht, der Sturm heult, die Segel zerreißen, und die ganze Bande wird jämmerlich verrecken, weil jeder nur an seine eigene kostbare Haut und an seine nichtigen Angelegenheiten denkt. Glaubst du, da kann man lange überlegen, wie man es am raffiniertesten anstellt, ob man nun ja oder nein sagen soll? Da kann man nicht mehr lange fragen, ob man es nicht eines Tages teuer bezahlen wird oder ob man nachher überhaupt noch ein Mensch sein kann. Man nimmt das Rad in die Hand, sieht den sich türmenden Wellenbergen entgegen, man brüllt einen Befehl, und man schießt blindlings in die Menge, auf den Erstbesten, der aus ihr hervortritt. Die Menge! Das ist etwas Namenloses. Wie eine Welle, die auf das Deck niederrauscht. Der Wind heult, und wer tot in der Gruppe umfällt, ist namenlos. Vielleicht hat er dir noch am Vorabend freundlich lächelnd Feuer für deine Zigarette gegeben. Jetzt ist er ein Namenloser. Und du selbst bist an das Ruder geklammert – namenlos. Nur das Schiff und der Sturm haben Namen, verstehst du das?

ANTIGONE schüttelt den Kopf: Ich will nicht verstehen! Das ist etwas für dich. Ich bin nicht da, um zu verstehen. Ich muss nein sagen und sterben.

KREON: Nein sagen ist oft leicht.

ANTIGONE: Nicht immer!

[Kreons letzter Trumpf ist, Antigone die wahre Geschichte über das Ende der beiden Brüder zu erzählen. Antigone gibt nach und will sich auf ihr Zimmer zurückziehen. Doch dann spricht Kreon vom Glück und Antigones Widerstand erwacht aufs neue.]

KREON: Ich möchte nämlich, dass du ein wenig hinter die Kulissen dieses Dramas blickst, wenn du schon darauf brennst, eine Rolle darin zu spielen. Ich ließ gestern für Eteokles ein glänzendes Staatsbegräbnis abhalten. Eteokles ist jetzt für Theben ein Heiliger, ein Held. Das ganze Volk war zusammengeströmt. Die Schulkinder gaben ihre Kupfermünzen für sein Grabmal, die Greise sangen mit scheinheiliger Rührung und zitternden Stimmen das Lob des Eteokles, des guten Bruders, des treuen Sohnes Ödipus', des loyalen Fürsten. Ich selbst hielt eine Rede. Die ganze Priesterschaft Thebens war dabei, im großen Ornat und mit der erforderlichen Trauermiene. Dann kamen noch die militärischen Ehren. Es war notwendig, denn ich konnte den Leuten leider nicht sagen, dass auf beiden Seiten ein Schweinehund war. Aber dir will ich etwas anvertrauen. Etwas, was nur ich allein weiß – etwas Furchtbares: Eteokles, dieser Tugendengel, war keinen Pfifferling mehr wert als Polyneikos. Dieser Mustersohn hatte es nämlich ebenfalls wiederholt versucht, deinen Vater um die Ecke zu bringen. Dieser loyale Prinz war genauso entschlossen, Theben an den Meistbietenden zu verschachern. Eteokles, der nun in seinem Marmorgrab liegt, traf alle Anstalten, denselben Verrat zu begehen, für den Polyneikos jetzt in der Sonne langsam verfault. Es war reiner Zufall, dass Polyneikos es vor ihm versucht hatte. Es waren zwei Gauner, die sich gegenseitig betrogen, während sie uns betrogen. Sie haben sich umgebracht wie zwei Halunken, die eine alte Rechnung zu begleichen hatten. Aber für mich ergab sich die Notwendigkeit, dass ich aus einem von ihnen einen Helden machen musste. So ließ ich ihre Leichen unter den anderen hervorsuchen. 5 Man fand sie eng umschlungen – wohl zum ersten Mal in ihrem Leben. Sie hatten sich gegenseitig aufgespießt. Die ganze Kavallerie war über sie hinweggeritten. Sie waren ein Brei und gar nicht mehr zu erkennen. Ich ließ den noch am besten erhaltenen Körper für mein Staatsbe- 10 gräbnis mitnehmen. Den anderen ließ ich draußen liegen, wo man sie fand. Ich weiß nicht einmal, welcher von beiden das war. Und – du kannst mir glauben – das ist mir auch vollkommen gleichgültig. *Langes Schweigen. Sie bleiben still sitzen, ohne sich anzusehen. Dann sagt* ANTIGONE 15 *leise*

ANTIGONE: Warum hast du mir das alles erzählt?

KREON: Hätte ich dich lieber wegen dieser erbärmlichen Geschichte sterben lassen sollen?

ANTIGONE: Vielleicht ja. Ich glaubte es wenigstens. 20

KREON: Was wirst du jetzt tun?

ANTIGONE *erhebt sich wie schlafend*: Ich gehe auf mein Zimmer.

KREON: Bleib nicht zu viel allein. Sprich mit Hämon! Heiratet bald. 25

ANTIGONE *leise*: Ja.

KREON: Dein ganzes Leben liegt noch vor dir. Glaub mir, unsere Auseinandersetzung war sehr müßig. So viel Schönes wartet auf dich.

ANTIGONE: Ja. 30

KREON: Daran sollst du denken. Und da wolltest du dir alles verderben! Ich verstehe dich; mit zwanzig Jahren hätte ich genauso gehandelt wie du. Deswegen hörte ich dich auch so ruhig an. [...]
Du verachtest mich vielleicht, aber eines Tages wirst du 35 es ganz von selbst entdecken. Und wenn du alt wirst, kann es dich trösten. Vielleicht ist das ganze Leben nur ein bisschen Glück.

ANTIGONE *murmelt*: Glück ...

KREON *etwas geniert*: Ein armseliges Wort, nicht wahr? 40

ANTIGONE: Was wird mein Glück sein? Was für eine glückliche Frau soll aus der kleinen Antigone werden? Welche Niedrigkeiten werde ich Tag für Tag begehen müssen, um dem Leben mit den Zähnen ein kleines Fetzchen Glück zu entreißen? Sag doch, wen werde ich belügen, wem falsch ins Gesicht lächeln und an wen mich verkaufen müssen? Bei wem muss ich mich abwenden und ihn sterben lassen? [...]
Ihr seid mir alle widerlich mit eurem Glück und eurer Lebensauffassung. Gemein seid ihr! Wie Hunde, die geifernd ablecken, was sie auf ihrem Weg finden. Ein bescheidenes Alltagsglück und nur nicht zu anspruchsvoll sein! Ich, ich will alles, sofort und vollkommen – oder ich will nichts. Ich kann nicht bescheiden sein und mich mit einem kleinen Stückchen begnügen, das man mir gibt, weil ich so brav war. Ich will die Gewissheit haben, dass es so schön wird, wie meine Kindheit war – oder ich will lieber sterben. [...]

[Wie in der griechischen Tragödie verkündet der Bote den Tod Antigones, Hämons und Eurydikes. Kreon und sein Page bleiben allein zurück.]

SPRECHER: Du bist jetzt allein, Kreon.
KREON: Ja. Allein – ganz allein. *Er nimmt seinen Pagen bei der Schulter* Kleiner ...
PAGE: Ja, Herr?
KREON: Ich will dir etwas sagen. Sie wissen es ja nicht, die anderen. Wenn man vor einem Werk steht, kann man doch nicht einfach die Arme verschränken. Alle sagen zwar, es sei eine schmutzige Arbeit – aber wenn man sie nicht selbst tut, wer soll sie dann tun?
PAGE: Ich weiß es nicht, Herr.
KREON: Gewiss, du weißt es nicht. Sei froh! Am besten wäre wohl, man wüsste nie etwas. Möchtest du gerne schon erwachsen sein?
PAGE: O ja, Herr.
KREON: Du bist verrückt, mein Kleiner. Man sollte immer ein Kind bleiben können. *Man hört aus der Ferne eine Uhr schlagen* Fünf Uhr. Was haben wir heute um fünf?

PAGE: Ministerrat, Herr.
KREON: Gut, wenn wir Ministerrat haben, Kleiner, dann werden wir jetzt hingehen.
KREON stützt sich auf den PAGEN – sie gehen ab.

5

SPRECHER *tritt in den Vordergrund*: Das wäre es also. Es stimmt schon, ohne die kleine Antigone hätte jedermann seine Ruhe gehabt. Aber nun ist alles vorbei.
Alle haben sie wieder – ihre Ruhe. Die, die sterben mussten, sind tot. Die einen, die an etwas glaubten – die an- 10 deren, die das Gegenteil glaubten – selbst jene, die zufällig in die Geschichte hineingezogen wurden, ohne etwas davon zu begreifen – sie alle sind tot. Alle gleich tot, gleich steif, gleich nutzlos, gleich verwest. Und die, die noch leben, beginnen ganz langsam, sie zu vergessen und ihre 15 Namen zu verwechseln. Alles ist vorbei. Antigone ist jetzt ruhig. Nie werden wir erfahren, von welchem Fieber sie befallen war. Ein tiefer, trauriger Friede legt sich über Theben und den leeren Palast, wo Kreon sich anschickt, den Tod zu erwarten. 20

Während er sprach, sind die WÄCHTER eingetreten, sie machen es sich auf einer Bank bequem, stellen einen Krug Wein neben sich. Sie schieben die Mütze ins Genick und beginnen Karten zu spielen.

SPRECHER: Nur die Wächter haben es gut überstanden. Ihnen 25 ist alles gleich, denn es geht sie nichts an. Sie spielen lieber Karten.

Während die WÄCHTER ihre Trümpfe klopfen, fällt rasch der Vorhang.

Bertolt Brecht: Die Antigone des Sophokles[1]

Einleitung

Bertolt Brecht

Uraufführung: 15.2.1948, Stadttheater Chur (Schweiz).
Regie: Brecht in Zusammenarbeit mit Caspar Neher, der auch das Bühnenbild entwarf. Brecht war 1947 aus seinem Exil in den USA zurückgekehrt.
Die Titelrolle spielte Brechts Frau, Helene Weigel. Es war ihre erste Rolle nach Kriegsende.

Brecht greift mit seinem Stück auf die Übersetzung Hölderlins von 1804 zurück. Er übernimmt im Wesentlichen das Personal und die Handlungselemente des antiken Vorbildes, stellt aber den Konflikt dezidiert in den politischen Kontext des zweiten Weltkrieges: Kreon (alter ego Hitlers) hat Theben in einen Angriffskrieg gegen Argos (entspr. Stalingrad) getrieben. Es geht ihm um die Erbeutung der argivischen Erzvorkommen. Eteokles ist als Held auf der thebanischen Seite gefallen, sein Bruder Polyneikes wird als Deserteur von Kreon auf der Flucht erschlagen. Antigone widersetzt sich Kreons Gebot und beerdigt Polyneikes. Im Gegensatz zur antiken Vorlage geht es ihr aber nicht um die Erfüllung eines göttlichen Gebots, sondern um offenen Widerstand gegen die Gewalt, wobei sie das eigene Volk in die Gefahr des Besiegtwerdens bringt. Der Untergang Thebens ist unausweichlich: Megareus, der von Brecht zusätzlich eingeführte Sohn Kreons, auf dem dessen ganze Hoffnung liegt, fällt und Hämon ersticht sich. Kreon, bis zum Schluss uneinsichtig, will alle Überlebenden in seinen eigenen Sturz mit hineinreißen:

---

[1] Aus lizenzrechtlichen Gründen sind die Texte von Brecht nicht in reformierter Schreibung wiedergegeben.

„ [...] Noch eine Schlacht
Und Argos läg am Boden! Aber was da aufkam
An Mut und Äußerstem, das ging nur gegen mich.
So fällt jetzt Thebe.
Und fallen soll es, soll's mit mir, und es soll aus sein 5
Und für die Geier da. So will ich's dann."(1280–1285)

Begleittexte zur „Antigone"

Anmerkungen zur Bearbeitung

Brecht erklärt selbst die Änderungen, die er an dem antiken Stoff vorgenommen hat.

Die „Antigone" des Sophokles gehört zu den größten Dichtungen des Abendlands. Es ist jedoch die Frage aufgetaucht, ob sie einem Publikum, das heute in ganz anderen Vorstellungen lebt, noch verständlich ist. Nach der Vorstellung der Alten ist der Mensch mehr oder weniger blind dem Schicksal ausgeliefert, er hat keine Macht darüber. Diese Vorstellung hat B. B.[1] in seiner Nachdichtung durch die Meinung ersetzt, daß das Schicksal des Menschen der Mensch selber ist. Diese Änderung ist sehr groß, und sie konnte von der alten Dichtung nur ertragen werden, weil sie im Grunde ganz realistisch ist und mit viel praktischer Menschenkenntnis und politischer Erfahrung einen realen Vorgang gestaltet, den der Dichter überliefert bekommen hat, nämlich den Untergang des Herrscherhauses des Ödipus. Es geht unter in einem grausamen Raubkrieg, der auch solche Grausamkeiten gegen das eigene Volk nötig macht, daß der Teil des Herrscherhauses, der mit dem Volk geht, sich empört und dadurch eine derartige Schwäche herbeiführt, daß der überfallene Feind siegt. Da der Tyrann, um mit der Empörung im eigenen Haus fertig zu werden, einen schnellen Sieg benötigt, hetzt er seine Truppen in eine voreilige Schlacht. Durch Meutereien zerrüttet, vermögen die Truppen dem

[1] Brecht spricht von sich in der 3. Person.

Feind, der, Mann, Frau und Kind, seine Heimat verteidigt, nicht mehr zu widerstehen. Die große sittliche Tat der Antigone, die sich gegen den Tyrannen Kreon auflehnt, besteht darin, daß sie, bewegt durch tiefe Menschlichkeit, nicht
5 zögert, durch offenen Widerstand das eigene Volk in die Gefahr des Besiegtwerdens in einem Raubkrieg zu bringen.

Weitere Änderungen des alten Gedichts bestehen zum Beispiel noch in folgendem:
10 Der Krieg Thebens mit Argos ist realistisch dargestellt. Das Ziel sind die Erzgruben von Argos. Aber diese Erzgruben versehen auch die Leute von Argos mit guten Speeren. Da der Kampf so sehr hart wird und viel länger dauert, als Kreon ausgerechnet hat, braucht er allzu strenge Mannszucht, es kommt zu Meutereien; Kreon muß den Kampf
15 gegen außen und innen führen und verliert den Krieg.

Der Seher Tiresias, der im alten Gedicht der Mitwisser göttlicher Voraussicht ist, ist in der Bearbeitung ein guter Beobachter und deshalb in der Lage, einiges vorauszusagen.
20 Bearbeitet sind auch die Chöre, in welche ebenfalls neue Gedanken kommen. Diese Chöre, wie auch manch andere Stellen des Gedichts, können bei einmaligem Anhören kaum voll verstanden werden. Teile von den Chören klingen wie Rätsel, die Lösungen verlangen. Es ist jedoch das Vortreff-
25 liche bei ihnen, daß sie, ein wenig durchstudiert, immer mehr Schönheiten herausgeben. Die Bearbeitung wollte diese Schwierigkeit, deren Überwindung so viel Freude macht, nicht einfach beseitigen – um so mehr, als das Werk „Antigone“ das Glück hat, einen der größten Gestalter der deut-
30 schen Sprache, Hölderlin, zum Übersetzer zu haben.

Aus: Bertolt Brecht: Die Antigone des Sophokles. Materialien zur „Antigone“. Frankfurt/Main: Suhrkamp Verlag ^{5}1971, S. 114f.

Brecht verfasste für das Programmheft der Uraufführung in Chur das folgende Gedicht:

Antigone (Chur 1948)

Komm aus dem Dämmer und geh
Vor uns her eine Zeit
Freundliche, mit dem leichten Schritt
Der ganz Bestimmten, schrecklich
Den Schrecklichen. 5

Abgewandte, ich weiß
Wie du den Tod gefürchtet hast, aber
Mehr noch fürchtetest du
Unwürdig Leben.

Und ließest den Mächtigen 10
Nichts durch, und glichst dich
Mit den Verwirrern nicht aus, noch je
Vergaßest du Schimpf und über der Untat wuchs
Ihnen kein Gras.
Salut![1] 15

Aus: Bertolt Brecht, a.a.O., S. 6

[1] Salut: (frz.) Grüß dich!

Vorspiel (Chur 1948)

Brecht stellt seiner Antigone-Bearbeitung ein „Vorspiel“ voran, das die Zuschauer auf die zeitgenössischen Bezüge seines Stücks vorbereitet. Die Handlung spielt im Berlin des Jahres 1945.

Berlin. April 1945.

Tagesanbruch.
Zwei Schwestern kommen aus dem Luftschutzkeller zurück in ihre Wohnung.

DIE ERSTE
Und als wir kamen aus dem Luftschutzkeller
Und es war unversehrt das Haus und heller
Als von der Früh, vom Feuer gegenüber, da
War's meine Schwester, die zuerst es sah.
DIE ZWEITE
5 Schwester, warum steht unsre Türe offen?
DIE ERSTE
Der Feuerwind hat sie von drauß getroffen.
DIE ZWEITE
Schwester, woher kommt da im Staub die Spur?
DIE ERSTE
Von einem, der hinauslief, ist es nur.
DIE ZWEITE
Schwester, was ist das für ein Sack im Eck?
DIE ERSTE
10 Besser, 's ist etwas da, als etwas weg.
DIE ZWEITE
Ein Brotlaib, Schwester, und ein ganzer Speck!
DIE ERSTE
Das ist nicht etwas, wovor ich erschreck.
DIE ZWEITE
Schwester, wer war da hier?
DIE ERSTE
Wie soll ich's wissen?
Einer, der uns vergönnt den guten Bissen.
DIE ZWEITE
15 Ich aber weiß! O wir Kleingläubigen! O Glück!

O Schwester, unser Bruder ist zurück!

DIE ERSTE

Und wir umarmten uns und waren frohgemut
Denn unser Bruder war im Krieg und 's ging ihm gut.
Und schnitten in den Speck und aßen von dem Brot
Das er gebracht für unsres Leibes Not. 20

DIE ZWEITE

Du nimm dir mehr, dich schinden sie in der Fabrik.

DIE ERSTE

Nein, dich.

DIE ZWEITE

Mir fällt es leichter, tiefer schneid!

DIE ERSTE

Nicht ich.

DIE ZWEITE

Wie konnt er kommen?

DIE ERSTE

Mit der Truppe.

DIE ZWEITE

Wo
Mag er wohl jetzt sein?

DIE ERSTE

Wo die Schlacht ist.

DIE ZWEITE

Oh.

DIE ERSTE

Wir konnten aber keinen Schlachtlärm hören. 25

DIE ZWEITE

Ich hätt nicht fragen solln.

DIE ERSTE

Ich wollt dich nicht verstören.
Und als wir schweigend saßen, da an unser Ohr
Kam von jenseits der Tür ein Laut, daß unser Blut gefror.

Ein Brüllen von außen.

DIE ZWEITE

Schwester, da schreit wer; lass uns nachsehn gehn.

DIE ERSTE

Bleib sitzen, du; wer sehn will, wird gesehn. 30
So gingen wir nicht vor die Tür und sahn
Nicht nach den Dingen, die da drauß geschahn.

Doch aßen wir nicht weiter, und wir blickten
Uns nicht mehr an und sprachen nicht und schickten
35 Zur Arbeit uns zu gehn, so wie allmorgendlich
Und meine Schwester nahm das Eßgeschirr, und ich
Erinnerte und trug des Bruders Sack zum Spind
Wo seine alten Sachen sind.
Und dort, es war, als ob mein Herzschlag stock
40 Dort hing vom Haken sein Soldatenrock.
Schwester, er ist nicht in der Schlacht
Er hat sich aus dem Staub gemacht.
In dem Krieg ist er nicht mehr.

DIE ZWEITE
Andre sind's noch, doch nicht er.

DIE ERSTE
45 Haben ihn zum Tod bestellt.

DIE ZWEITE
Aber er hat sie geprellt.

DIE ERSTE
Denn da war ein kleines Loch –

DIE ZWEITE
Und das war's, aus dem er kroch.

DIE ERSTE
Andre sind noch drin, nicht er.

DIE ZWEITE
50 In dem Krieg ist er nicht mehr.

DIE ERSTE
Und wir lachten, waren frohgemut:
Aus dem Krieg war unser Bruder. 's ging ihm gut.
Und wir standen noch, da an unser Ohr
Kam ein Laut, daß unser Blut gefror.
Ein Brüllen von außen.

DIE ZWEITE
55 Schwester, wer schreit vor unsrer Tür?

DIE ERSTE
Sie quälen wieder Leut in ihrer Willkür.

DIE ZWEITE
Schwester, sollen wir nicht nachsehn gehn?

DIE ERSTE
Bleib innen, du; wer sehn will, wird gesehn.
So warteten wir eine Weil und sahn

Nicht nach den Dingen, die da drauß geschahn. 60
Dann mußten wir zur Arbeit gehn und da
War ich es, die das vor der Türe sah.
Schwester, Schwester, geh nicht hinaus.
Unser Bruder ist vorm Haus.
Er ist aber nicht aus der Sach 65
Am Fleischerhaken hängt er, ach.
Doch sah meine Schwester aus dem Haus
Und einen Schrei stieß sie selber aus.

DIE ZWEITE
Schwester, sie haben gehänget ihn
Drum hat er laut nach uns geschrien. 70
Das Messer gib, das Messer gib her
Daß ich ihn abschneid und er hängt nicht mehr.
Daß ich hereintrag seinen Leib
Und ihn ins Leben zurückreib.

DIE ERSTE
Schwester, laß das Messer liegen 75
Wirst ihn nicht mehr lebend kriegen.
Wenn sie uns mit ihm stehn sehn
Wird es uns wie ihm ergehn.

DIE ZWEITE
Laß mich, bin schon nicht gegangen
Wie sie ihn uns aufgehangen. 80

DIE ERSTE
Und als sie wollt vor das Haustor
Ein SS-Mann trat hervor.
Herein tritt ein SS-Mann.

SS-MANN
Drauß ist der und hier seid ihr?
Aus eurer Türe trat er mir.
So rechn' ich aus, daß ihr am End 85
Den Volksverräter draußen kennt.

DIE ERSTE
Lieber Herr, mit uns geh nicht ins Gericht
Denn wir kennen den Menschen nicht.

SS-MANN
Was will die mit dem Messer dann?

DIE ERSTE
Da sah ich meine Schwester an. 90

Sollt sie in eigner Todespein
Jetzt gehn, den Bruder zu befrein?
Er mochte nicht gestorben sein.

Aus: Bertolt Brecht, a.a.O., S. 9ff.

Das in Chur aufgeführte „Vorspiel“ wurde bei der deutschen Erstaufführung in Greiz (ehem. DDR) 1951 durch einen „Prolog“ ersetzt.

Prolog zu Antigone (Greiz 1951)

Auf die Bühne treten die Darsteller der Antigone, des Kreon und des Sehers Tiresias. Zwischen den beiden anderen stehend, wendet sich der Darsteller des Tiresias an die Zuschauer:

Freunde, ungewohnt
Mag euch die hohe Sprache sein
In dem Gedicht, tausende Jahre alt
Das wir hier einstudiert. Unbekannt
5 Ist euch der Stoff des Gedichts, der den einstigen Hörern
Innig vertraut war. Deshalb erlaubt uns
Ihn euch vorzustellen. Das ist Antigone
Fürstin aus dem Geschlecht des Ödipus. Das hier
Kreon, Tyrann der Stadt Theben, ihr Oheim. Ich bin
10 Tiresias, der Seher. Dieser da
Führt einen Raubkrieg gegen das ferne Argos. Diese
Tritt dem Unmenschlichen entgegen, und er vernichtet sie.
Aber sein Krieg, nun unmenschlich geheißen
Bricht ihm zusammen. Die unbeugsam Gerechte
15 Nichtachtend des eignen geknechteten Volkes Opfer
Hat ihn beendet. Wir bitten euch
Nachzusuchen in euren Gemütern nach ähnlichen Taten
Näherer Vergangenheit oder dem Ausbleiben
Ähnlicher Taten. Und nunmehr
20 Werdet ihr uns und die anderen Schauspieler
Ein um den andern den kleinen Schauplatz
Im Spiele betreten sehn, wo einst unter den
Tierschädeln barbarischen Opferkults
Urgrauer Zeiten die Menschlichkeit
25 Groß aufstand.

Die Darsteller begeben sich nach hinten, und auch die anderen Darsteller betreten die Bühne.

Aus: Bertolt Brecht, a.a.O., S. 64

Episches Theater: Bühnenbild und Regie

Um dem Zuschauer im Sinne seines „Lehrtheaters“ die richtige Rezeption nahezubringen, entwickelte Brecht für die „Antigone“ ausführliche Regieanweisungen und stellte gemeinsam mit seinem Bühnenbildner Caspar Neher detaillierte Überlegungen zur Gestaltung der Bühne, zu den Kostümen und Requisiten an. Alle Einzelheiten zur Aufführungspraxis hielt Brecht in einem Modellbuch, dem „Antigonemodell 1948“, fest.

Die Neher'sche Antigone-Bühne

Vor einer Halbrunde von Schirmen, beklebt mit geröteten Binsen, stehen lange Bänke, auf denen die Schauspieler ihr Stichwort abwarten können. In der Mitte lassen die Schirme eine Lücke, in der die sichtbar bediente Schallplattenapparatur steht und durch welche die Schauspieler, wenn mit ihrer 5

Szenenskizze von Caspar Neher

Rolle fertig, abgehen können. Das Spielfeld wird durch vier Pfähle gebildet, von denen die Skelette von Pferdeschädeln hängen. Im Vordergrund steht auf der linken Seite das Gerätebrett mit den Bacchusstabmasken, dem kupfernen Lor-
5 beerkranz des Kreon, der Hirseschale und dem Weinkrug für Antigone und dem Hocker für Tiresias. Später wird Kreons Schlachtschwert von einem der Alten hier aufgehängt. Auf der rechten Seite steht das Gerüst mit der Eisenplatte, die von einem der Alten zu dem Chorlied „Geist der Freude, der du von den Wassern" mit der Faust angeschlagen wird.
10 Für das Vorspiel ist eine geweißte Wand an Drähten herabgelassen. Sie hat eine Tür und einen Wandschrank. Vor ihr stehen ein Küchentisch und zwei Stühle und rechts vorn liegt ein Sack. Über der Wand wird zu Beginn eine Tafel mit Ort- und Zeitangabe herabgelassen. Es gibt keinen Vorhang.

Aus: Bertolt Brecht, a.a.O., S. 72

Regieanweisungen zum „Vorspiel"

	Vor der Antigonebühne steht eine Wand mit Tür und Schrank. Ein Tisch, zwei Stühle. Im Eck rechts ein Sack. Eine Tafel mit der Aufschrift „Berlin. März 1945. Tagesanbruch." wird herabgelassen. Ein Bühnenarbeiter schlägt einmal die Alarmplatte rechts vorn an, und aus dem Orchester steigen die zwei Schwestern.
1–4	Die Verse werden zum Publikum gesprochen.
Nach 10	Die Zweite geht zum Sack und schaut hinein.
17, 18	„Du nimmst dir mehr, dich schinden sie in der Fabrik" ist wieder zum Publikum gesprochen, danach gehen die zwei
21	zum Tisch und setzen sich, dann das Spiel wieder aufnehmend. Die Erzählung muß einfach und im Gedichtton vorgetragen werden, nicht als ob die Erzählerin unter dem Eindruck des Vorgefallenen stehe, sondern als ob sie aufgefordert worden sei, das Vorgefallene vielen und oft zu berichten. Die Erzählerin achte besonders darauf, daß ihr Bericht nicht von den vorgespielten Partien her emotionell geladen wird. Das Spiel selbst muß deutlich den Charakter des Zeigens haben.
Von 34 ab	Was die Verse schildern, wird ausgeführt.
Nach 41	Die Zweite folgt zum Schrank, und Die Erste zeigt ihr
Nach 42	den Rock.
Mit 50	Der Rock wird in den Schrank zurückgehängt.
Nach 62	Die zwei gehen zum Tisch und nehmen die Eßgeschirre
Mit 63	auf. Dann geht Die Erste voraus zur Tür, blickt hinaus und wendet sich zur Zweiten zurück.
Nach 66	Auch Die Zweite schaut zur Tür hinaus, wendet
Nach 74	sich zurück und läuft zum Tisch, gefolgt von der Schwester.
Nach 93	Die Bühne wird in Halbdunkel gelegt. Die Vorspielwand wird hochgezogen. Bühnenarbeiter räumen Tisch und Stühle weg.

Die zwei gehen nach hinten, ihre Mäntel den Garderobieren übergebend. Zugleich steigen aus dem Orchester von rechts und links die Schauspieler auf und begeben sich zu ihren Bänken im Hintergrund.
Volles Licht erhellt das Spielfeld, welches durch die Pfähle mit den Pferdeschädeln gebildet wird.

Aus: Bertolt Brecht, a.a.O., S. 78f.

Textauszug und Regieanweisungen (V. 317–455)

[Nachdem Antigone gefasst ist, wird sie in ein Gefangenenbrett geschraubt und Kreon vorgeführt.]

Auftritt der Wächter, Antigone führend.

WÄCHTER
Die ist's. Die hat's getan. Die griffen wir
Wie sie das Grab gemacht. Doch wo ist Kreon?
DIE ALTEN
320 Er kommet eben da zurück vom Hause.
Aus dem Hause tritt Kreon.
KREON
Wie bringst du diese her? Wo griffst du sie?
WÄCHTER
Die hat das Grab gemacht. Da weißt du alles.
KREON
322a Wer ist die, daß du ihr Gesicht verdeckst?
WÄCHTER
322b Der Schande halber; denn die ist die Tät'rin.
KREON
Dein Wort ist deutlich, aber sahst du's selber?
WÄCHTER
Wie sie das Grab aufwarf, wo du's verboten.
Wenn einer Glück hat, ist er auch gleich deutlich.
KREON
Gib den Bericht.
WÄCHTER
So war die Sache: Wie ich weggegangen
Von dir, als du Gewaltiges gedroht

Und wir den Staub dem Toten abgewischt
Und lag schon in Verwesung, setzten wir uns 330
Auf hohen Hügel, an die Luft, weil der Geruch
Vom Toten stark ausging. Wir machten aus
Im Fall des Schlafs uns in die Rippengegend
Zu stoßen, mit den Ellenbögen. Plötzlich rissen
Wir weit die Augen auf, das kam, weil plötzlich hub 335
Vom Boden her ein warmer Wind den Nebel
In einem Wirbel, der das Tal verdeckte
Die Haare rings vom Wald des Tals riß, und so voll ward
Davon der große Äther, daß wir blinzeln mußten
Und uns, das war's, die Augen rieben und danach 340
Wird sie gesehn und steht und weinet auf
Mit scharfer Stimme, wie ein Vogel trauert
Wenn er das leere Nest, mit keinen Jungen, sieht.
So jammert sie, da sie den Toten bloß sieht
Und sammelt wieder Staub auf ihn, vom Eisenkrug 345
Den Toten dreimal mit Ergießungen
Verschüttend. Schnell liefen wir zu und faßten
Die nicht betroffen schien. Und klagten sie
Des Jetzigen und Schongeschehenen an.

Szenenskizze von Caspar Neher zu V. 318ff.

350 Sie leugnet' aber nichts mir ab und war
Lieblich zugleich und auch betrübt vor mir.

KREON

Sagst oder leugnest du, daß du's getan habst?

ANTIGONE

Ich sage, dass ich's tat und leugn' es nicht.

KREON

So sag mir noch, nicht lange, aber kurz:
355 Ist dir bekannt, was ausgerufen wurd
In offner Stadt von grade diesem Toten?

ANTIGONE

Ich wußte das. Wie nicht? Es war ja deutlich.

KREON

Du wagtest meine Satzung so zu brechen?

ANTIGONE

Weil's deine war, von einem Sterblichen
360 So mag's ein Sterblicher brechen, und ich bin
Nur wenig sterblicher, als du bist. Und wenn aber
Ich sterbe vor der Zeit, ich denk, ich tu's
Sag ich, daß das sogar Gewinn ist. Wer wie ich
Viel lebt mit Übeln, der bekommt doch wohl
365 Im Tod ein wenig Vorteil? Ferner, wenn ich meiner Mutter
Totes Andres hätt grablos liegen lassen
Das würde mich betrüben. Aber das
Betrübt mich gar nicht. Scheint's dir aber Torheit
Daß ich die Himmlischen fürcht, die ungedeckt
370 Nicht erblicken wollen von oben den Zerteilten
Und so dich nicht fürcht, mag ein Tor
über mich richten jetzt.

DIE ALTEN

Rauh tritt des rauhen Vaters Art am Kind hervor:
Im Mißgeschick sich fügen hat sie nicht gelernt.

KREON

375 Doch auch dem stärksten Eisen
Bricht und vergeht das Störrige, gekocht
Im Ofen. Alle Tage kannst du dies sehn.
Die aber findet eine Lust aus damit
Daß sie die vorgeschriebenen Gesetze trüb macht.
380 Und das ist noch die zweite Frechheit: da

Sie es getan, daß dessen sie sich rühmt und lacht
Daß sie's getan. Das haß ich, ist auf Schlimmem einer
Ertappt, wenn er daraus noch Schönes machen möchte.
Und doch, die mich beleidigt, obzwar blutsverwandt
Will ich, weil blutsverwandt, nicht gleich verdammen. 385
So frag ich dich: Da du's gemacht hast heimlich
Und ist jetzt offen worden, würd'st du sagen
Und schwere Straf so meiden, daß dir's leid tut?
Antigone schweigt.

KREON
So sag, warum du störrig bist. [...]

ANTIGONE
's ist wohl auch zweierlei, fürs Land und für dich sterben.

KREON
So ist kein Krieg?

ANTIGONE
Doch, deiner.

KREON
Nicht ums Land? 410

ANTIGONE
Ein fremdes. Nicht genügte es dir
Über die Brüder zu herrschen in eigener Stadt
Thebe, lieblich, wenn
Angstlos gelebt wird, unter den Bäumen; du
Mußtest zum fernen Argos sie schleppen, über sie 415
Zu herrschen auch dort. Und machtest den einen zum Schlächter
Dem friedlichen Argos, doch den Erschrockenen
Legst du jetzt aus, gevierteilt, zu schrecken die Eignen.

KREON
Ich rate, nichts zu sagen, nichts
Dieser da zuzusprechen, wer sein Wohl im Aug hat. 420

ANTIGONE
Ich aber rufe euch an, dass ihr mir helft in Bedrängnis
Und helft euch auch dabei noch. Welcher nämlich die Macht sucht
Trinkt vom salzigen Wasser, nicht einhalten kann er, weiter

Muß er es trinken. Gestern war es der Bruder, heut bin ich es.

KREON

425 Und ich warte
Welcher der beispringt.

ANTIGONE *da die Alten schweigen*
Ihr also duldet's. Und haltet das Maul ihm.
Und sei's nicht vergessen! [...]

Aus: Bertolt Brecht, a.a.O., S. 26ff.

Regieanweisungen zu V. 312–421

311–317	Während der Ansage ihres Auftritts wird der Antigone an der Bank vom Wächter das Brett umgeschnallt. Kreon zeigt, Antigone erblickend, Erstaunen.
326	Mit „Gib den Bericht" setzt er sich. Während der Wächtererzählung schwankt Antigone unter der Last des Brettes.
334–339	Die Wächtererzählung muß die Erfindung des mystischen Vorgangs komisch machen: der Wächter war eingeschlafen. Kreon wirft ihm ein Beutelchen mit Gold zu; dies zeigt an, daß er Dienste dieser Art bezahlen muß. Der Wächter liest ihn auf und geht strahlend zum Maskenbrett, das Publikum anlachend. [...]
384	Kreon versucht zunächst, Antigone zum Widerruf zu bewegen, aufstehend mit „Und doch, die mich beleidigt, obzwar blutsverwandt". Ihr Schütteln des Kopfes beantwortet er mit einem
389	Aufstampfen. Er spricht wieder im Sitzen. Das Brettschleppen macht Antigone zu einem Unruhezentrum, da es ihre Reaktionen und Aktionen physisch groß umsetzt. Bei ihren Vorstößen gegen
421, 455	die Alten, und gegen Kreon, nachdem Kreons Verurteilung sie beinahe hat zusammenbrechen lassen, hat sie einerseits das Brett zu schleppen, andrerseits treibt das Momentum des Bretts sie. Im Kampf scheint das Brett leichter zu werden.

Aus: Bertolt Brecht, a.a.O., S. 84f.

Rolf Huchhuth: Die Berliner Antigone

Christian Pohl: Rolf Hochhuth

Geb. 1. 4. 1931 in Eschwege/Nordhessen

Rolf Hochhuth

[...] H. entstammt einer traditionsreichen Bürgerfamilie, in der er eine behütete Kindheit verlebt. Nach eigenen Aussagen ein „miserabler Schüler", aber voller Leidenschaft für Bücher, geht er 1948 nach der Mittleren Reife vom Gymnasium ab und beginnt eine Buchhändler-Lehre. Zwischen 1950 und 1955 arbeitet er in Buchhandlungen in Marburg, Kassel und München, besucht als Gasthörer Vorlesungen, erarbeitet sich im Wesentlichen das Werk der deutschen Realisten und der Historiker des 19. Jahrhunderts. [...] Geschichte gilt H. als schicksalhaft: Sie bestimmt zwar das menschliche Dasein, entzieht sich letztlich aber der Erkenntnis und Beeinflussung. Andererseits bestand er – darin unterscheidet er sich etwa von Theodor W. Adorno oder Friedrich Dürrenmatt – auf der Entscheidungsfreiheit und Verantwortlichkeit des Individuums auch in der modernen Massengesellschaft. Maßstab menschlichen Handelns dürften jedoch nicht Ideologien oder Religionen sein – diese unterstellten der Geschichte ein Ziel oder einen höheren Zweck und instrumentalisierten den Menschen dadurch –, sondern nur dessen Moralität. Diese Moralität des individuellen Handelns selbst unter Bedingungen existenzieller Bedrohung: das ist H.s Thema. [...]

Aus: Metzler Autoren Lexikon. Metzler, Stuttgart 1986, S. 283

Einleitung

Die Novelle von Rolf Hochhuth erschien 1963 in der FAZ zunächst in einer gekürzten Fassung. Hochhuth setzte sich in dieser Erzählung mit den Folgen des Attentats vom

20. Juli 1944 auseinander. Dabei nutzt er den antiken Mythos als Modell. Das Schicksal seiner Heldin Anna steht in direktem Bezug zu dem der Widerstandskämpfer. Wie in seinem dokumentarischen Theater (vgl. z.B. das Theaterstück 5 „Der Stellvertreter") stellt Hochhuth durch authentische Hinweise Bezüge zur historischen Wirklichkeit her. Unmittelbarer Anknüpfungspunkt für die Novelle ist, dass von 1939–1945 der Berliner Anatomie die Leichen von 269 hingerichteten Frauen überstellt wurden.[1] Hochhuth wid- 10 met die Erzählung seiner Frau Marianne, deren Mutter zu der Widerstandsgruppe „Rote Kapelle" gehörte. Sie wurde 1943 in Berlin enthauptet.

Text

Für Marianne

Da die Angeklagte *einer* falschen Aussage bereits überführt war, glaubte der Generalrichter, er könne sie retten: Anne behauptete, ihren Bruder – den Gehenkten, wie der Staatsanwalt möglichst oft sagte – sofort nach dem Fliegerangriff 5 ohne fremde Hilfe aus der Anatomie herausgeholt und auf den Invalidenfriedhof gebracht zu haben. Tatsächlich waren ein Handwagen, aber auch eine Schaufel auf der Baustelle an der Friedrich-Wilhelm-Universität entwendet worden. Auch hatten in dieser Nacht, wie immer nach den Bombar- 10 dements, Feuerwehr, Hitlerjungen und Soldaten die geborgenen Opfer in einer Turnhalle oder entlang der Hauptallee des Friedhofs aufgereiht.
Vor Gericht aber hatten zwei Totengräber mit der zeremoniellen Umständlichkeit, die ihr Gewerbe charakteri-

[1] Weitere Beispiele für authentische Details finden sich bei Eberhard Hermes, der die Novelle Hochhuths sehr informativ und erhellend interpretiert. In: Hermes, Eberhard, Interpretationshilfen. Der Antigone-Stoff, Sophokles, Anouilh, Brecht, Hochhuth. Stuttgart 2003, S. 155ff.

siert, die jedoch in Zeiten des Massensterbens so prätentiös wirkte wie ein Sarg, überzeugend bestritten, unter den 280 Verbrannten oder Erstickten, die bis zu ihrer Registrierung unter Bäumen auf Krepp-Papier lagen, den unbekleideten, nur mit einer Plane bedeckten Körper eines jungen Mannes gesehen zu haben. Ihre Aussagen hatten Beweiskraft. Sehr präzise vor allem in den Nebensächlichkeiten gaben sie an, persönlich jeden Einzelnen der 51 Toten, die weder zu identifizieren gewesen noch von Angehörigen gesucht worden waren, drei Tage später in die Grube gelegt zu haben, in das Gemeinschaftsgrab.

Die Bezeichnung Massengrab war verboten worden. Die Reichsregierung pflegte die Toten eines Gemeinschaftsgrabes mit besonders tröstlichem Aufwand beizusetzen: Nicht nur waren Geistliche beider Konfessionen und ein namhafter Parteiredner, sondern auch noch ein Musikzug des Wachbataillons und eine Fahnenabordnung hinzugezogen worden.

Ein Beisitzer des Reichskriegsgerichts, ein großväterlich warmherziger Admiral, der als Einziger in dem fast leeren verwahrlosten Saal keine Furcht hatte, war so gerührt durch die Schilderung der Totenfeier, dass er der Angeklagten mit milder Zudringlichkeit empfahl, endlich die Wahrheit zu sagen über den „Verbleib" ihres toten Bruders: Die Entweihung eines Gemeinschaftsgrabes durch die Leiche eines von diesem Gerichtshof abgeurteilten Offiziers müsse sonst leider – er sagte zweimal aufrichtig *leider* – als strafverschärfend gewertet werden.

Anne, zermürbt und leise, beharrte auf ihrer Lüge ...

Der Generalrichter, während der Worte des Admirals wieder in innerem Zweikampf mit seinem Sohn, fand Bodos Gesicht nicht mehr; es zerfloss ihm wie damals im Rauch der Lokomotive – nach ihrem notdürftig zusammengeflickten Übereinkommen, am Vorabend von Bodos Abfahrt zur Ostfront. Mehr als den Verzicht, sich in diesem Augenblick mit der Schwester eines Hochverräters *öffentlich* zu verloben, hatte der Generalrichter seinem Sohn nicht abzwingen können. Seiner Weigerung, dieser Mesalliance jemals die väterliche Zustimmung zu geben, hatte Bodo die Drohung entgegengesetzt, sich sofort mit dieser Person zu verheira-

ten, die ihn offenbar schon seit Wochen in jeder freien Stunde an seinem Potsdamer Kasernentor abgeholt hatte – auch dann noch, *auch* dann noch, als Annes Bruder schon verhaftet war!
5 Der Mann, statt dankbar zu sein, dass er als Schwerverwundeter mit einem der letzten Flugzeuge aus dem Kessel von Stalingrad ausgeflogen worden war, hatte nach seiner Genesung schamlos erklärt, nicht die Russen, sondern der Führer habe die 6. Armee zugrunde gerichtet. Und Bodo
10 stand nicht davon ab ...
Der Generalrichter, qualvoll erbittert, mochte das nicht wieder zu Ende denken. Er sah sich fest an einem Wasserfleck, der jetzt wie ein überlebensgroßer Fingerabdruck die Wand über der Büste des Führers durchdrang. Die kolos-
15 sale Bronze war unerschütterlich auf ihrem Sockel geblieben, obgleich der Luftdruck des nächtlichen Bombardements selbst Rohre im Gerichtshof aus der Wand gerissen hatte ...
Der Generalrichter hörte kaum dem steifschneidigen
20 Staatsanwalt zu. Bodo schien kein Gefühl dafür zu haben, auch seine Mutter nicht, was es ihn kostete, diese Tragödie zur Farce – und dem Führer das Wort im Mund umzudrehen, nur damit dieses aufsässige Frauenzimmer vor dem Beil bewahrt blieb. Wer sonst, wenn er den Vorsitz abgelehnt
25 hätte, würde auch nur daran interessiert sein, Hitlers ironisch wegschiebende Anordnung nach Tisch, die Angeklagte solle „in eigener Person der Anatomie die Leiche zurückerstatten", so auszulegen, als dürfe das Mädchen den Beerdigten stillschweigend zurückbringen?
30 Der Führer, beiläufig vom Propagandaminister unterrichtet, während ihm die Ordonnanz schon neue Depeschen über den politischen Umsturz in Italien reichte, hatte zweifellos nicht einmal an ein Gerichtsverfahren gedacht: Anne sollte enthauptet und der Anatomie zur Abschreckung jener Me-
35 dizinstudenten „überstellt" werden, die vermutlich bei der Beseitigung der Leiche ihres Bruders geholfen hatten. Hier in der Reichshauptstadt, unter den schadenfrohen Augen des Diplomatischen Korps, das hatte Hitler noch angefügt, sollte nicht geräuschvoll nach ungefährlichen Querulanten
40 unter den Studenten gefahndet werden: Peinlich genug, dass

im Frühjahr die feindliche Presse von der Studentenrevolte in München Wind bekam, weil Freislers Volksgerichtshof zwar schlagartig, aber doch zu laut damit aufgeräumt hatte.
Der Generalrichter, selten im Hauptquartier, noch seltener am Tische Hitlers, hatte mit erfrorenen Lippen „Jawohl, mein Führer" gemurmelt und später, ein geblendeter Gefangener, nicht mehr zu seinem Wagen hingefunden. Wie hätte er denn in Hitlers kaltblaue, rasputinisch zwingende Augen hinein das beschämende, das unmögliche Geständnis ablegen können, dieses Mädchen, die Schwester eines Hochverräters, sei heimlich mit seinem Sohn verlobt ...
Jetzt verfiel er, Schweiß unter der Mütze, in den unsachlich persönlichen Tonfall des betagten Admirals und versprach der Angeklagten fast vertraulich mildernde Umstände. Unduldsam, aber genau entgegnete er dem Staatsanwalt: Zwar sei nur während des Alarms das Kellergeschoss der Universität in der Nacht zugänglich; auch seien die Gitter dreier Fenster der Anatomie ebenfalls entfernt worden, um zusätzliche Notausgänge zu schaffen; und nur infolge der katastrophalen Verwirrung durch das Bombardement habe die Angeklagte die Schlüssel an sich bringen können. Dennoch: Die Beseitigung der Leiche sei keine persönliche Bereicherung, „mithin" könne von Plünderung nicht gesprochen werden. Auch sei die Beerdigung nicht unbedingt ein staatsfeindliches Bekenntnis, da es sich bei dem Verräter um den Bruder handele. Als mildernder Umstand gelte noch die seelische Zerrüttung: Der Verurteilung des Bruders sei bekanntlich der Freitod ihrer Mutter gefolgt.
Verdächtig, dachte der Staatsanwalt, ein straff gekämmter Hamburger mit einer Stimme wie ein Glasschneider – verdächtig. Aber der Ton des Generals ließ ihn verstummen. Er entblößte sogar die Zähne, ohne dass ein geplantes verbindliches Lächeln daraus wurde: Der Vorsitzende entschied nämlich auch darüber, ob er ihn weiterhin benötigte oder ihn zur Front „abstellte". Er hätte ihn gern in die Hand bekommen, diesen Chef. Es war doch lachhaft, dass er jetzt der Angeklagten eine befristete Zuchthausstrafe versprach, wenn sie die Exhumierung ihres Bruders unter Bewachung vornähme; ein solches Angebot, sicher, man brauchte sich

später nicht daran zu halten – stand in keinem Verhältnis zu ihrem Verstoß gegen den Führerbefehl, politischen Verbrechern das Begräbnis zu verweigern ...
Während er voller Genugtuung die Beugung des Gesetzes
5 durch seinen Chef bedachte; während der Admiral mit dem wehmütigen Wohlgefallen diese halb erloschene „Pracht von einem Mädel" da auf der Anklagebank teilnahmsvoll mit Blicken tätschelte; und während der Wasserfleck über der Büste des Führers vor dem langen wutroten Fahnentuch
10 weiter und dunkler um sich fraß, zwang sich der General, schon ohne Atem, schon ohne Hoffnung zur äußersten Brutalität: „An langwierige Nachforschungen kann das Gericht zu diesem Zeitpunkt des Totalen Krieges keine Kräfte verschwenden", drohte er heiser und hastig Anne und sich
15 selbst. „Sie können sich 24 Stunden überlegen, ob Ihre Helfershelfer in der Anatomie die Leiche Ihres Bruders dort wieder vorfinden – oder ob die Mitwisser durch Einlieferung Ihres Körpers, Kopf vom Rumpf getrennt, darüber aufgeklärt werden sollen, dass wir Nationalsozialisten jeden defätisti-
20 schen Ungehorsam rücksichtslos ausmerzen." Die Todesangst gab sie nun nicht mehr frei. Doch am Abend waren ihre Hände immerhin so ruhig, dass sie an Bodo schreiben konnte. Es war schon der Abschied, das wusste sie, und Brandenburg, der gute Wärter, der gleich bei Annes Einlieferung mit
25 fröstelndem Grauen „die Schwester" erkannt hatte, war bereit, ihren Brief als Flug-Feldpost hinauszuschmuggeln.
„Du wirst erfahren, wo ich meinen Bruder beerdigt habe, und wenn du mich später wieder suchst, so nimm ein paar Zweige von unserer Birke an der Havel und lege sie auf sein
30 Grab, dann bist du mir nahe."
Sie wollte Pfarrer Ohm anvertrauen, wohin sie den Bruder gebracht hatte – wenigstens er blieb vor den Schergen und Schändern in Sicherheit. Dieser Gedanke bewahrte sie davor, zu bereuen, obwohl sie nicht mit der Todesstrafe ge-
35 rechnet hatte und bei der Drohung des Generalrichters zusammengebrochen war.
Gewaltsam vertiefte sie sich in die schon Traum gewordene Erinnerung an die Nacht vor zehn Tagen, um nicht wieder völlig von der Angst erbeutet zu werden. „Das Gericht
40 glaubt Ihnen nicht, dass Sie den Bruder auf den Invaliden-

friedhof geschafft haben!", hörte sie die durch Gekränktsein
verschärfte Stimme des Generalrichters – ich würde das
auch nicht glauben, dachte sie jetzt mit einem Sarkasmus,
der sie für einen Moment belebte, fast erheiterte ...
Und wenigstens innerlich riss sie sich los von Wand und
Gitter, heraus aus der Zelle – und sie war frei, solange sie
draußen an den Streifen Erde dachte, an den heidnisch alten,
schon seit Generationen stillgelegten Totenacker, rings um
die noch mit Feldsteinen aufgetürmte Marienkirche, im ältesten Stadtteil, ganz nahe der Universität. Die mächtigsten, die
königlichen Bäume Berlins wölbten sich dort domhoch über
die wenigen Grabsteine dahingesiechter Jahrhunderte, und
einen der Steine, einen starken Schild der Ruhe, ausgeweint
von Regen und Schnee, zerrissen wie – wie Mutters letztes
Gesicht, hatte sie an jenem Nachmittag zum Grabstein des
Bruders bestimmt. Sie wollte Ohm jetzt bitten, ihr die Bibel-
stelle zu übersetzen, die sie dort noch mühsam herausgelesen
hatte: Apost. 5, 29 – während der Name für die Augen, auch
für die tastende Hand schon verloren war.
Wie viele hatten dort wohl Ruhe gefunden. Aus Scheu grub
Anne nicht sehr tief. Sie hatte mit einem großen Messer die
dicke Decke aus Moos und Rasen ziemlich spurlos heraus-
getrennt, während ihr sichernder Blick, sooft sie aufsah in
die laute Nacht, über die Glut sprühenden Dächer wie in
eine Schmiede fiel. Ganz Berlin eilte in chaotisch geschäf-
tigen Löschzügen zu den Bränden, und Anne ließ sich einfach
mitreißen von dem heißen Wirbel, als sie, sofort nach dem
Ende des Angriffs, mit dem Handwagen den Hof der Universität verließ – woran sich später die Denunziantin, eine
Kommilitonin, erinnern konnte. Die phosphoreszierte
Friedrichstraße hatte sich brechend und verglühend im Feuerwind gegen den Himmel gebäumt, eine flackernde Fahne
der Verwüstung. Und dann – wie eine Friedensinsel, so
meerweit getrennt von der orgiastischen Brandwut, lag der
dunkle Acker da. Niemand störte sie. Vor der Straße durch
verwilderte Forsythien geschützt, geschützt im Rücken
durch die gotische Nische, grub sie ohne Hast und warf die
Erde auf die Plane, die den Bruder bedeckt hatte. Und sie
spürte die große Anstrengung nicht, als sie den Körper vom
Wagen hob und ihn noch einmal hob und bettete. Doch

vermied sie, das friedlose Gesicht anzusehen; denn am Nachmittag in der Anatomie war sie hinausgestürzt, sich zu erbrechen. Sie breitete ihren Sommermantel über den Bruder. Vor Erleichterung – aber doch auch, weil sie ihn jetzt
5 mit Erde bedecken sollte, überfiel sie ein wildes Schluchzen – und dann sah sie sich schon in der Falle: ihre Beine, ihr Rock, ihre Hände waren so sehr von der feuchten Erde beschmutzt. Atemlos warf sie das Grab zu. Erst als sie, wieder kniend, schon den Rasen auflegen wollte, wurde ihr
10 bewusst, dass nach dieser Brandnacht Zehntausende ebenso beschmutzt herumlaufen würden. Da ließ sie sich Zeit. Behutsam deckte sie die Erde ab, verteilte den Rest unter Büschen und presste mit den Händen das Moos fest. Ehe sie mit dem Handwagen auf die Straße ging, schlich sie
15 spähend hinaus, wartete, bis ein schweres Lastauto den Lärm verstärkte, und nach fünfhundert Metern erreichte sie wieder das erste brennende Haus; und etwas weiter, da riefen zwei Hitlerjungen sie um den leeren Wagen an, packten Koffer und Körbe und schließlich noch eine hyste-
20 rische Frau obenauf, die sie unversehrt aus dem Keller gezogen hatten, und Anne ließ sich versprechen, sie würden den Wagen morgen am Hauptportal zum Invalidenfriedhof abstellen, und dann warf sie die Schaufel und die Plane in die schwelenden Trümmer. Später fand sie einen Hydranten,
25 an dem die Feuerwehr gerade den Schlauch abschraubte, und da wusch sie sich die Beine und das Gesicht und die Arme. Und hinter ihr trug man Tote weg, und sie floh aus den Trümmerstraßen, getrieben, sich bei Bodo zu bergen, überwältigt von einer quälenden Gier nach Leben – um es
30 zu vergessen, das Leben.
Das hätte sie ihm gern geschrieben, jetzt, wo die Angst sie wieder hochjagte von der Pritsche und die zweimal zwei Meter des Käfigs ihr unter den Füßen zu schrumpfen – und dann wegzusacken schienen wie die Klappe des Galgens. Sie
35 durfte ihm nicht verraten, wie trostlos sie war. So zwang sie sich, ihm zu schreiben, sie fände es nicht sinnlos, zu sterben für das, was sie getan hatte. Das war die Wahrheit, aber nicht die ganze. Auch das war aufrichtig: dass sie den Tod, da schon so unzählige Generationen „drüben“ seien, nicht fürchten
40 könne; dass sie sich aber in erstickendem Ekel mit der Hand

an die Kehle griff, sooft sie ans Sterben dachte, an die Anatomie, das verschwieg sie. Und endlich fand sie sogar etwas Ruhe in dem banalen Gedanken: So viele müssen sterben können, Tag für Tag, und die meisten wissen nicht einmal wofür – ich werde es auch können. Und sie fand es nur noch anmaßend, nach einem Sinn zu fragen, und sie konnte jetzt denken: dass so viele schon drüben sind, dass alle nach drüben kommen, das muss mir, das *muss* mir genügen.

Das Letzte verschwieg sie auch sich. Brandenburg wartete auf den Brief. Sie musste einen kleinen Halt, ein einziges Wort, das ihm blieb, hineinlügen – und da sie einen Stern durchs Gitter sah, den sie nicht kannte, und noch einen, so fiel ihr ein, was sie im letzten Urlaub verabredet hatten, beim Segeln in einer hohen hellen Nacht: immer aneinander zu denken, wenn sie abends den Großen Wagen sähen, Bodo in Russland, sie in Berlin. Und sie schloss: „Ich sehe durchs Gitter unseren goldenen Wagen, und da weiß ich, dass du jetzt an mich denkst, und so wird das jeden Abend sein, und das macht mich ruhig. Bodo, lieber Bodo, alle meine Gedanken und Wünsche für dich vertrau ich ihm an, für immer. Dann weiß ich, sie erreichen dich, wie weit wir auch getrennt sind."

Die Planierung des Gerichtshofes durch eine Luftmine verlängerte Annes Bedenkzeit auf elf Tage.

Ihr Pflichtverteidiger schaufelte mit rotplumpen Händen nur hilflos leere Luft; sie hatte ihn zwanzig Minuten vor der ersten Verhandlung kennengelernt. Bei seinem zweiten und letzten Besuch sah er sich um nach der Zellentür, als erwarte er von dort einen Genickschuss. Dann wisperte er, sein Taschentuch neben dem Mund: „Die Frau des Generalrichters war heut früh bei mir, sie hat geweint – jetzt weiß ich erst, dass ihr Sohn und Sie... also: Der General wird Sie retten, wenn sie sich sofort bereit erklären..." Anne, als dürfe sie das nicht hören, bat ihn hektisch, endlich eine Nachricht von Bodo herbeizuschaffen.

Die Besuche des Pfarrers waren ihr gefährlicher. Ohm versuchte, Anne klarzumachen, dass ein Unbestatteter nach christlicher Auffassung nicht ruhelos bleibe. Und sosehr sie seine Besuche herbeisehnte, so erleichtert war sie, wenn er ging. Sie weinte jedesmal, schließlich war sie so verwirrt,

dass sie nicht mehr wusste, ob sie ihm das Geheimnis zuletzt für Bodo anvertrauen dürfe.
Vier Tage und Nächte teilte sie dann die Zelle mit einer neunzehnjährigen polnischen Zwangsarbeiterin, die ihr aus zerknetetem Brot einen Rosenkranz formte, mit dem Anne so wenig beten konnte wie – ohne ihn. Die Verschleppte aus Lodz hatte sich heimlich, während eines Fliegeralarms, in einer Dresdner Bäckerei sattgegessen und sollte deshalb als Plünderer geköpft werden. Sie war nicht tapfer, aber stoisch, sodass ihre Gegenwart Anne erleichterte – während der Generalrichter gehofft hatte, das Zusammensein mit der rettungslos Verlorenen, die nicht einmal Angehörige benachrichtigen durfte, mache Anne geständig. Und wahrscheinlich wäre seine Rechnung dennoch aufgegangen. Als nämlich der Polin die Stunde schlug – im lauernden Morgenlicht des zehnten Tages von Annes Bedenkzeit – und sie aufgerufen wurde, ohne Gepäck mitzukommen, umarmten und küssten sie sich – Schwestern vor dem Henker; und Anne, durch die Berührung mit dem schon ausgebluteten Gesicht der Gefährtin jäh wie vom kalten Stahl des Fallbeils selbst angerührt, wurde mit einem Schnitt innerlich abgetrennt von ihrer Tat: Sie begriff das Mädchen nicht mehr, das seinen Bruder bestattet hatte – wollte es nicht mehr *sein*, wollte zurücknehmen. Damit war sie vernichtet. Allein gelassen, duckten ihre Nerven sich vor jedem Schritt draußen auf dem Gang, dessen blendender Linoleumläufer nicht betreten werden durfte. Ihr flatternder Blick stieß sich wund an den Mauern und verfing sich in den Gitterstäben, durch die der Tag hineinprahlte. „Das Leben geht weiter" – diese roheste aller Platitüden, sie verbrannte ihr Herz. Noch in den Spatzen, die sie beim Rundgang im Hof auf Kokshalden gesehen hatte, demütigte sie diese ordinäre Wahrheit. Und was Bodo ihr zum Trost gesagt hatte, als sie erfuhr, ihr Bruder werde gehenkt, das nagelte nun Stunde um Stunde ihre kaltwache Vorstellungskraft auf das Brett unterm Messer, auf dem man sie anschnallen würde, und richtete ihre Augen auf die Blutrinne in den Fliesen hinter der Guillotine: der rumpflose Kopf lebt da unten noch weiter, noch lange, zwar blind, doch vermutlich bei Bewusstsein, manchmal eine halbe Stunde – während der Tod am Galgen meist schnell eintritt. Mit dieser Feststellung hatte der Ge-

neralrichter vor seiner Familie einmal zu rechtfertigen versucht, dass er „Verräter“, denen die Kugel verweigert wurde, dem Strang überantwortete, und Bodo hatte Anne mit nichts anderem beruhigen können. Was mochte jetzt er durchleiden, seit er wusste, was ihr bevorstand? Denn Frauen, auch das hatte er ihr damals gesagt, blieb laut Führerweisung das Beil verordnet ...
Als man aber später dem Pfarrer aufschloss, kam sie nicht dazu, ihre Tat zurückzunehmen. Sein Gesicht war eingestürzt. Und seine Unfähigkeit, das erste Wort zu finden, gab Anne für die Dauer weniger Atemzüge die Kraft, Gelassenheit vorzutäuschen. Sie glaubte, er müsse ihr sagen, sie sei schon verurteilt. Sie deutete an, er könnte „es“ sagen. Da murmelte er, und sie hielten sich aneinander fest: „Ihr Verlobter – Bodo, hat sich in einem russischen Bauernhaus erschossen.“
Lange erst, nachdem er es gesagt hatte, hörte sie ihn: „Man fand nur Ihren Brief bei ihm, er hatte ihn erst eine halbe Stunde ...“
„Brief?“ – und er las an ihren Augen ab, dass sie das nicht begriff. Bodo hatte auch seiner Mutter nicht mehr geschrieben. Das sagte er ihr. „Kein Brief – kein – *nichts* für mich?“
Nun musste er es doch sagen. „Er wollte zu Ihnen ... verstehen Sie!“, sagte der Geistliche, und seine Augen zuckten. Er musste es wiederholen: „Bodo wollte bei Ihnen sein. Er glaubte doch – er dachte, Sie seien schon ... tot.“
Hitler zeichnete alsbald den Generalrichter mit der höchsten Stufe des Kriegsverdienstkreuzes aus und empfing den durch häufiges Weinen noch treuer gewordenen Mann persönlich im Hauptquartier. Bei Tisch sagte er an diesem Tag, und es war das erste Mal, dass seine Tafelrunde ihn erbittert über den entmachteten, aber von ihm noch immer sehr verehrten Mussolini sprechen hörte, der italienische Staatschef könne sich ein Beispiel nehmen an diesem deutschen Richter, der in heroischer Weise die Staatsräson seinen familiären Gefühlen übergeordnet habe – und solle sich endlich dazu aufraffen, seinen Schwiegersohn, den Verräter Graf Ciano, in Verona erschießen zu lassen.
Der Generalrichter hatte sein Angebot nicht ausdrücklich widerrufen, wäre aber – nach Bodos Tod war er zwei Tage

nicht zum Dienst erschienen – vielleicht auch nicht mehr imstande gewesen, die Delinquentin noch aus der angelaufenen Vernichtungsmaschinerie zurückzureißen. Sie hatte Anne automatisch in dem Augenblick erfasst, in dem sie ins Gefängnis Lehrter Straße überführt worden war – schon als „Paket". Das war die Fachbezeichnung für „Patienten mit geringer Lebenserwartung", wie die besseren Herren der Justiz, die sich in fast jeder Situation ihren Witz bewahrten, zu sagen pflegten.
Paket besagte: als juristische Person abgebucht, zur Dekapitation und behördlich überwachten Kadavernutzung freigegeben. Das Honorar für Urteil, Gefangenenkost und Scharfrichter sowie „für Übersendung dieser Kostenrechnung" war bei politischen Verbrechern per Nachnahme von den Angehörigen einzutreiben, im Falle ihrer „Nichtauffindung" oder bei Ausländern der Staatskasse „anzulasten".
Seit Anne wusste, wie Bodo ein Leben ohne sie eingeschätzt hatte, fand auch sie selbst in ihren starken Augenblicken das Leben nur noch überwindenswert – und doch hatte sie ein Gnadengesuch geschrieben, dem sie sich nun gedemütigt ausgeliefert sah. Nur körperliche Schwäche – denn „Pakete" bekamen in ihren absichtlich überheizten Zellen fast nichts mehr zu essen, an manchen Tagen nur eine Handvoll Kraut –, nur ihre Schwäche verdrängte zuweilen ihre seelischen Heimsuchungen. Der Hungerschmerz reduzierte sie auf ihre Animalität, und zuzeiten nahm das hysterisch gesteigerte Bedürfnis nach einem Stück Seife ihr den Blick dafür, dass sie gesetzlichen Anspruch nicht einmal mehr auf Sauerstoffzufuhr hatte. Schließlich atmete sie nur noch, weil sie in lächerlicher Verkennung der Kriegslage dem Größenwahn erlegen war, der Führer oder auch der Herr Reichsminister für Justiz fänden noch Zeit, sich mit einem Gnadengesuch zu befassen – das aber selbstverständlich, trotz seiner „Nicht- Vorlage" niemals übereilt abgelehnt wurde, sondern erst nach einer humanen Frist, wie sie in der Verordnung vom 11. Mai 1937 bestimmt worden war.
Manchmal entrissen ihre Toten, der Freund, die Mutter, der Bruder, Anne ihrer Angst und bewirkten, dass das Unvorstellbare, ihr eigenes Totsein, vorstellbar wurde ohne Entsetzen, ja eben als die wahre verlässliche Freiheit. In solchen

Momenten war sie bereit. In den Nächten, wenn sie lag, überwog ihre Daseinsbegierde. Am Tag, unter der Folter der Zuchthausgeräusche, wenn ein Wagen im Hof, wenn Schritte und Lachen und Schreien und Schlüssel ihr den Vollstrecker anzukündigen schienen, versuchte sie, auf ihrem Schemel unter dem Gitter, sich abzuwenden von der gegenüberliegenden Tür, von dem Kübel und den Würghänden, die sie seit der Gerichtsverhandlung nach sich greifen sah – und in die Einsicht zu flüchten, dass allein der Tod uns beschützen kann. Der Tod, nicht Gott. Denn zu jung, um ergeben zu sein, trennte sie von dem wie eine Eiszeit die kosmische Gleichgültigkeit, mit der er seinem Geschöpf gegenüberstand, echolos wie die Zellenwand. Von „oben" erhoffte sie nichts als ihre schnelle Hinwegnahme durch eine Bombe, denn „Pakete" wurden während der Fliegerangriffe auf Berlin nicht aus ihren Gehäusen im fünften Stockwerk in die Luftschutzkeller mitgenommen; das hätte zu hohen „Personalaufwand" erfordert. Einmal splitterte die Scheibe in ihre Zelle – es war der Augenblick, sich die Adern zu öffnen, aber Hoffnung und Schwäche hinderten sie. Und als sie es endlich gekonnt hätte; da war Tag, und ihre Wärterin, eine kinderreiche Witwe, die Anne oft heimlich einen Apfel mitbrachte, entfernte mit geradezu antiseptischer Sorgfalt auch den winzigsten Splitter, nicht nur aus Annes Käfig, sondern sie fand bei der „Filzung", wie sie die Leibesvisitation nannte, auch das scherenspitze Glas, das Anne als letzte Waffe gegen ihre äußerste Entwürdigung in ihrem Haar unter dem gestreiften Kopftuch versteckt hatte. Sie lachte aus ihrer guten nahrhaften Brust, die deutsche Mutter, weil sie doch noch pfiffiger war als die Gefangene, sie lachte ohne jede Grausamkeit – und erschrak so sehr, als sie, zum ersten Mal, in Annes Augen Tränen sah und ganz unvorbereitet ihr wimmerndes, verzweifeltes, irrsinniges Betteln um den Splitter abwehren musste, dass sie schnell ging, einen Apfel zu holen.

Sogar ein Arzt gab jetzt Acht, dass Anne bei voller Gesundheit auf das Schafott kam. Tatsächlich verlangte die bürokratisch geregelte Absurdität des „Endvollzugs" die Anwesenheit eines Mediziners, als man ihr endlich – eine Formalität von neunzig Sekunden – die unbegründete Ablehnung des

Gnadengesuchs und die Stunde ihrer Enthauptung verlas. Ohne Auflehnung ließ Anne, gefesselt seit der Urteilsverkündung, sich auch noch die Füße an eine kurze Kette legen und mit sechs anderen jungen Frauen, von denen eine noch ein Kind während der Haft geboren hatte, zum Auto nach Plötzensee bringen, wo ihnen ein halbidiotischer Schuster, der seit Jahren als Rentner dieses Privileg eifrig hütete, mit verschreckt geilen Augen und zutraulichem Geschwätz umständlich das Haar im Nacken abschnitt; dabei ließ er die schimmernde Flut von Annes sehr langen, blonden Haaren mit seniler Wollust durch seine riechenden Finger gehen, wickelte ihr Haar dann grinsend um einen seiner nackten Unterarme und tänzelte, die Schere unaufhörlich öffnend und schließend, um die Gefesselte herum, bis man ihn hinauspfiff wie einen Hund. Denn Anne musste sich völlig ausziehen, um nur noch einen gestreiften Kittel und Sandalen anzulegen.
Die Todeszellen blieben offen, die Delinquenten waren an einen Mauerring gekettet. So sprach Pfarrer Ohm sie noch. Ob Anne sich jetzt des Wortes Apost. 5, 29 erinnern konnte, das sie auf dem Grabstein des Bruders gefunden hatte; ob sie jenes Mädchen gewesen ist, das nach einer Chronik an diesem Nachmittag „wie eine Heilige starb"; oder ob sie es war, die zum Schafott ein Foto in den gefesselten Händen mitnahm, um für ihre Augen einen Halt zu finden – wir wissen es nicht. Pfarrer Ohm schrieb einige Jahre später auf eine Anfrage: „Ersparen Sie sich die technischen Einzelheiten, mein Haar ist darüber weiß geworden."
Die Frauen wurden in kurzen Abständen über den knochengrauen Hof zum Schuppen des Henkers geführt. Dorthin durfte kein Geistlicher sie begleiten. Wer da, neben dem dreibeinigen Tischchen mit Schnaps und Gläsern, als Augenzeuge Dienst tat, der Admiral, der Staatsanwalt, ein Oberst der Luftwaffe als Vertreter des Generalrichters und ein Heeresjustizinspektor, der schwieg sich aus nach dem Krieg, um seine Pension nicht zu gefährden. Nur darüber berichtet das Register: Auch an diesem 5. August waltete als Nachrichter der Pferdeschlächter Röttger seines Amtes, der für seinen Schalk berüchtigt war und der, fast auf den Tag genau, ein Jahr später den Feldmarschall von Witzleben und

elf seiner Freunde in Drahtschlingen erwürgte. Diese Hinrichtung wurde gefilmt, weil der Führer und sein Stab sich am Abend in der Reichskanzlei ansehen wollten, wie die Männer verendeten, die am 20. Juli 1944 versucht hatten, das Regime zu beseitigen. Ein Staatssekretär hat überliefert, dass selbst der satanische Parteigenosse Hitlers, sein Propagandaminister, während der Filmveranstaltung sich mehrmals die Hand vor die Augen hielt.

EPITAPH[1]

Die Berliner Anatomie erhielt in den Jahren 1939–1945
die Körper von 269 hingerichteten Frauen

Professor Stieve im „Parlament" am 20.7.1952, dem
8. Jahrestag des gescheiterten Attentats auf Hitler

Aus: Rolf Hochhuth: Prosa und Verse. Rowohlt Verlag, Reinbek bei Hamburg 1975.

[1] Epitaph (gr.): Grabinschrift

Elisabeth Langgässer: Die getreue Antigone

Rhys W. Williams: Elisabeth Langgässer

Geb. 23.2 1899 in Alzey/Rheinhessen; gest. 26.7.1950 in Rheinzabern

Elisabeth Langgässer

Sie wurde als Tochter eines Architekten geboren, besuchte die höhere Schule in Darmstadt und war etwa zehn Jahre lang Lehrerin an verschiedenen Schulen in Hessen. 1929 zog sie nach Berlin, wo sie bis 1930 als Dozentin an der sozialen Frauenschule tätig war. Ab 1930 hatte sie als freie Schriftstellerin in Berlin Kontakt zum Kreis um die Literaturzeitschrift *Die Kolonne* und gab 1933 zusammen mit Ina Seidel den Band *Frauengedichte der Gegenwart* heraus. 1935 heiratete sie den katholischen Philosophen Dr. Wilhelm Hoffmann (der später ihren Nachlass betreute). Sie wurde 1936 als „Halbjüdin" aus der Reichsschrifttumskammer ausgeschlossen und erhielt Schreibverbot. Obwohl man bereits 1936 bei ihr multiple Sklerose diagnostiziert hatte, wurde sie Ende 1944 in einer Fabrik dienstverpflichtet. 1948 verließ sie mit ihrer Familie Berlin und lebte bis zu ihrem Tod am 25. Juli 1950 in Rheinzabern; sie wurde in Darmstadt beerdigt. 1950 erhielt sie als postume Auszeichnung den Georg-Büchner-Preis.

Aus: Metzler Autoren Lexikon. Metzler, Stuttgart 1986, S. 400

Text

In Elisabeth Langgässers Kurzgeschichte „Die getreue Antigone“ (erschienen 1947) pflegt Carola, deren Bruder im KZ umgekommen ist, das Grab eines unbekannten Soldaten. Sie erweist die Grabesehren, die sie für ihren Bruder nicht leisten kann, als Zeichen der Versöhnung, weil sie nicht weiß, wer in dem Grab bestattet ist: Freund oder Feind. Ihr Verhalten ist ganz auf den Frieden der Toten gerichtet. Dabei geht es ihr um die Überlebenden, die dem Tod der Opfer einen Sinn geben und den Hass unter den Menschen überwinden sollen. Sie will diese Ruhe selbst erwerben, geborgen im Glauben, der durch Liebe gewonnen ist.

Das Grab lag zwischen den Schrebergärten, ein schmaler Weg lief daran vorbei und erweiterte sich an dieser Stelle wie ein versandetes Flussbett, das eine Insel umschließt. Das Holzkreuz fing schon an zu verwittern; seine Buchstaben R. I. P. waren vom Regen verwaschen, der Stahlhelm saß schief darüber und war wie ein Grinsen, mit welchem der Tod noch immer Wache hielt. Gießkanne, Harke und Rechen lagen an seiner Seite, das Mädchen Carola stellte den Spankorb mit den Stiefmütterchenpflanzen, die es ringsherum einsetzen wollte, ab und wandte sich zu seinem Begleiter, der ihr gelangweilt zusah und unter der vorgehaltenen Hand das Streichholz anrätschte, um seine Camel im Mundwinkel anzuzünden.
Kein Lüftchen. Der Frühling, an Frische verlierend, ging schon über in die Verheißung des Sommers, der Flieder verblühte, die einzelnen Nägelchen bräunten und begannen, sich aus Purpur und Lila in die Farbe des Fruchtstandes zu verwandeln, der Rotdorn schäumte gewalttätig auf, die Tulpenstängel, lang ausgewachsen, trugen die Form ihrer Urne nur noch diesen Tag und den nächsten – dann war auch das vorbei. Eine hässliche alte Vase und zwei kleine Tonschalen dienten dazu, den Blumenschmuck aufzunehmen – jetzt waren Maiglöckchen an der Reihe, Narzissen, die einen kränklichen Eindruck machten, und Weißdorn, der das Gefühl einer Fülle und Üppigkeit zu erwecken suchte, die zu dem unangenehmen Geruch seiner kleinen, kurzlebigen Blüten in seltsamem Gegensatz stand.

„Wenn der Rot- und Weißdorn vorüber ist, kommt eine Zeit lang gar nichts“, sagte Carola, bückte sich und leerte das schmutzige Wasser aus beiden Schalen aus, füllte sie wieder mit frischem Wasser und seufzte vor sich hin.
„Rosen“, sagte der junge Bursche. „Aber die sind noch nicht da. Du hast Recht: Dazwischen kommt gar nichts. Ein paar Ziersträucher höchstens, rosa und gelbe, aber die Zweige müsste man abreißen, wo man sie findet –“, er blinzelte zu ihr hin.
„Nein“, sagte sie rasch.
„Nicht abreißen? Nein? Dann muss der da unten warten, bis wieder Rosen blühen.“
Er lachte roh und verlegen auf; das Mädchen begann das Grab zu säubern, die herabgefallenen Blütchen sorgfältig aufzulesen und die Seitenwände des schmalen Hügels mit Harke und Händen gegen den Wegrand genauer abzugrenzen. (So hat sie wohl schon als kleines Mädchen auf dem Puppenherd für ihre Ella und Edeltraut Reisbrei gekocht, Pudding und solches Zeug, schoss es ihm durch den Sinn.) Wieder musste er lachen; sie blickte misstrauisch auf und unterbrach ihr Hantieren; wirklich war es, als ob auf dem Grab, das die Weißdornblüten bedeckten, Zucker verschüttet wäre, oder spielende Kinder hätten vergessen, ihr Puppengeschirr, als die Mutter sie rief, mit in das Haus zu nehmen.
„Gib den Korb mit den Pflanzen her“, sagte Carola. „Ich will sie jetzt einsetzen. Auch den Stock, um die Löcher in die Erde zu machen, immer in gleichem Abstand –“, sie war vor Eifer ganz rot. „Hol ihn dir selber“, sagte der Bursche und drückte an einem morschen Pfahl die Zigarette aus. „Ein Blödsinn, was du da treibst.“
„Was ich treibe?“
„Na – dieses Getue um das Soldatengrab. Immer bist du hierher gelaufen. September, Oktober: mit Vogelbeeren; November, Dezember: mit Stechpalmen, Tannen, hernach mit Schneeglöckchen, Krokus und Zilla. Und das alles für einen Fremden, von dem du nicht einmal weißt –“
„Was weiß ich nicht?“
„Was er für einer war.“
„Jetzt ist er tot.“
„Vielleicht ein SS-Kerl.“

„Vielleicht."
„Ja, schämst du dich eigentlich nicht?", brauste der Bursche auf. „Deinen ältesten Bruder haben die Schufte in Mauthausen umgebracht. Wahrscheinlich hat man ihn –"
„Sei doch still!" Sie hielt sich mit verzweifeltem Ausdruck die Hände an die Ohren; er packte sie an den Handgelenken und riss sie ihr herunter, sie wehrte sich, keuchte, ihre Gesichter waren einander ganz nahe, plötzlich ließ er sie los.
„Tu, was du willst. Es ist mir egal. Aber ich bin es satt. Adjö –."
„Du gehst nicht!"
„Warum nicht? Du hast ja Gesellschaft. Ich suche mir andere."
„Die kenne ich", sagte das Mädchen erbittert. „Die von dem schwarzen Markt."
„Und wenn schon? Der schwarze Markt ist nicht schlimmer als deine Geisterparade. Gespenster wie dieser da ... Würmer und Maden." Er deutete mit dem Kopf nach dem Grab, das nun, vielleicht weil Harke und Rechen, während sie beide rangen, quer darübergefallen waren, einen verstörten Eindruck machte und ein Bild der Verlassenheit bot.
„Komm", sagte der Bursche besänftigt. „Ich habe Schokolade."
„Die kannst du behalten."
„Und Strümpfe." Schweigen. „Und eine Flasche Likör."
„Warum lügst du?", fragte das Mädchen kalt.
„Nun, wenn du weißt, dass ich lüge", sagte der Bursche gelassen, „kann ich ja aufhören. Oder meinst du, das Lügen macht mir Spaß?"
„Dann lügst du also aus Traurigkeit", sagte Carola kurz.
Sie schwiegen, die Nachmittagssonne brannte, in der Luft war ein Flimmern wie sonst nur im Sommer, ein flüchtiges Blitzen, der leise Schrei und das geängstigte Seufzen der mütterlichen Natur. Ein Stück niedergebrochenen Gartenzauns lag am Wegrand, sie setzten sich beide wie auf Verabredung nieder, der junge Mann zog Carola an sich und legte wie ein verlaufener Hund den Kopf in ihren Schoß. Sie saß sehr gerade und starrte mit aufgerissenen Augen nach dem Soldatengrab ...
„Glaubst du wirklich, dass Clemens so qualvoll –?", fragt Carola leise. „In dem Steinbruch oder ..."

„Ich weiß es nicht. Lass doch. Quäle dich nicht", murmelte er wie im Schlaf. „Für Clemens ist es vorbei."
„Ja", sagte sie mechanisch, „für Clemens ist es vorbei." Sie nickte ein paar Mal mit dem Kopf und fing dann von neuem
5 an.
„Aber man möchte doch wissen."
„Was – wissen?"
„Ob er jetzt Frieden hat", sagte sie, halb erstickt.
„Da kannst du ruhig sein. Du weißt doch, wofür er gestor-
10 ben ist."
„Ich weiß es. Aber siehst du, als Kind konnte ich schon nicht schlafen, wenn mein Spielzeug im Hof geblieben war; das Holzpferd oder der Puppenjunge. Wenn es Regen gibt! Wenn er allein ist und hat Angst vor der Dunkelheit, dach-
15 te ich. Verstehst du mich denn nicht?"
Er gab keine Antwort, Carola schien sie auch nicht zu erwarten, sondern richtete ihre Fragen an ganz einen anderen.
„Ist das Sterben schwer? Kannst du es mir sagen? Der Au-
20 genblick, wo sich die Seele losreißt von allem, was sie hat?"
Nun bewegte sich doch noch ein leiser Wind und hob die äußeren Enden der Weißdornzweige empor; die schräge fallenden Sonnenstrahlen wanderten über den Stahlhelm
25 und entzündeten auf der erblindeten Fläche einen winzigen Funken von Licht.
„Liegst du gut?"
Der junge Mann warf den Kopf wie im Traum auf ihrem Schoß hin und her; sein verfinstertes junges Gesicht mit
30 den Linien der unbarmherzigen Jahre entspannte sich unter den streichelnden Händen, die seine widerspenstigen Strähnen langsam und zart zu glätten versuchten und über die Stirn zu den Schläfen und von da aus über die Wangen gingen ... die Lippen, die ihre kühlen Finger mit einem leise
35 saugenden Kuss festzuhalten versuchten ... bis die Finger endlich, selber beruhigt, in der Halsgrube liegen blieben, wo mit gleichmäßig starken Schlägen die lebendige Schlagader pochte.
„Ich liege gut", gab der junge Mann mit entfernter Stimme
40 zurück. „Ich möchte immer so liegen. Immer ..." Er seufzte

und flüsterte etwas, das Carola, weil er dabei den Mund auf ihre Hände presste, nicht verstand; doch sie fragte auch nicht danach.
Nach einer Weile sagte das Mädchen: „Ich muss jetzt weitermachen. Die Mutter kommt bald nach Haus. Übrigens, dass ich es nicht vergesse: Der Kuratus hat gestern nach dir gefragt. Es ist jetzt großer Mangel an älteren Ministranten, besonders bei Hochämtern, weißt du, an hohen Festen, und so. Ob du nicht –?"
„Nein, ich will nicht." Der Bursche verzog den Mund.
„,... die Kleinen können den Text nicht behalten, sie lernen schlecht und sind unzuverlässig", fuhr sie unbeirrt und beharrlich fort. „Bei dem Requiem neulich –"
Sie stockte. Dicht vor beiden flog ein Zitronenfalter mit probenden Flügelschlägen vorbei und ließ sich vertrauensvoll und erschöpft auf dem Korb mit den Pflänzchen nieder.
„Meinetwegen" sagte der Bursche. „Nein: deinetwegen", verbesserte er. „Damit du Ruhe hast", fügte er noch hinzu.
„Damit er ... Ruhe hat", sagte sie und griff nach dem Pflanzenkorb.

Aus: Elisabeth Langgässer, Erzählungen. Düsseldorf: Claassen 1964, S. 74–77

Heinrich Böll: Die verschobene Antigone

Heinrich Böll (1917–1985) schrieb 1978 die kurze satirische Szene mit dem Titel „Die verschobene Antigone". Es handelt sich um einen Drehbuchentwurf für Volker Schlöndorffs Beitrag zu dem Film „Deutschland im Herbst" (1978), der die politische Situation der Bundesrepublik zur Zeit der Entführung und Ermordung des Arbeitgeberpräsidenten Schleyer durch Terroristen thematisierte.
Regisseur, Redakteur und Intendant diskutieren mit vier Mitgliedern einer Kommission. Soll die filmische Aufzeichnung der „Antigone" des Sophokles in politisch brisanter Zeit gesendet werden? Am Ende findet sich ein „Kompromiss".

Die verschobene Antigone

Drehbuchentwurf für Volker Schlöndorffs Beitrag zu dem Film „Deutschland im Herbst"

PERSONEN:

Darstellerin der Antigone
Darstellerin der Ismene
1. Mitglied der Kommission
2. Mitglied
3. Mitglied
4. Mitglied (eine Dame)
Regisseur
Redakteur
Intendant

1978

(In einem Filmvorführraum sitzen die Mitglieder einer Kommission [Parteien, Kirchen, etc.], außerdem der Regisseur, der Redakteur, der Intendant. Die Parteizugehörigkeit der Kommissionsmitglieder wird nicht angesprochen)

(Der Film läuft an. Die beiden Schauspielerinnen, die Ismene und Antigone spielen, treten in klassischen Gewändern auf und sagen):

Gewaltiges kündend, künden wir doch nicht Gewalt.
(Danach der Anfang der „Antigone"): 5

ANTIGONE
O Schwester, du mein eigen Blut, Ismene,
Sag einen Fluch von Ödipus, den Zeus
Nicht schon erfüllt in unser beider Leben!
Da ist kein Leid und keine Freveltat 10
Und keine Kränkung, keine Schändlichkeit,
Die wir nicht selbst erlebten, du und ich.
Und heute wieder, was er allem Volk
Verkündet haben soll, der neue Führer –
Kennst du's? Erfuhrst du's? Oder merkst du nicht, 15
Was unsern Lieben von den Feinden naht?

ISMENE
Was ist's? Ich merke, wie es in dir wogt!

ANTIGONE
Gab Kreon nicht dem einen unsrer Brüder 20
Des Grabes Ehr' und weigert sie dem andern?
Eteokles barg er nach Recht und Sitte
Im Schoß der Erde, heißt es, dass er drunten
Bei den Verstorbenen in Ehren steht,
Des Polyneikes armer Leichnam aber 25
Darf nicht beweint und nicht begraben werden –
So sei dem Volk befohlen, unbeklagt
Und unbestattet soll man ihn den Vögeln,
Sie lauern schon, zum üppigen Fraße lassen!
Ein solch Gebot hat uns der edle Kreon 30
Verkündet, dir und mir, du hörst: auch mir.
Und er wird selbst erscheinen, um es allen,
Die es nicht wissen, deutlich anzusagen.
Und damit scherzt er nicht: Wer's dennoch tut,
Der stirbt durch Steinigung vor allem Volk. 35
So steht's. Nun wirst du zeigen, bist du edel
Geboren oder schlugst du aus der Art.

ISMENE
Verwegne! Wenn es so steht, was kann ich
Dann lösend oder knüpfend daran ändern?

ANTIGONE
5 Sieh, ob du Müh' und Arbeit teilen willst!

ISMENE
Was für ein Wagnis kommt dir in den Sinn?

ANTIGONE
Ob deine Hand mit mir den Toten birgt.

10 ISMENE
Begraben willst du ihn, trotz dem Verbot!

ANTIGONE
Ja, meinen Bruder, und versagst du dich,
Auch deinen. Zum Verräter werd ich nicht.

15 ISMENE
Vermessne! Kreon hat es untersagt!

ANTIGONE
Er darf mich von den Meinen doch nicht trennen.

ISMENE
20 Wir müssen einsehn, dass wir Frauen sind,
Mit Männern uns zu messen nicht bestimmt.
Der Stärkere hat über uns Gewalt,
Er kann noch Härtres fordern als nur dies.
So flehe ich zu denen unterm Boden,
25 Sie mögen mir verzeihen, da Gewalt
Mich zwingt. Ich füge mich der Obrigkeit:
Maßlos zu handeln hat ja keinen Sinn.

ANTIGONE
Ich heiß dich nicht mehr. Und wenn du noch wolltest,
30 Mich könnte deine Hilfe nicht mehr freun.

ISMENE
So halte wenigstens die Tat geheim
Und sag es niemand, und auch ich will schweigen.

ANTIGONE
Nein, laut verkünden sollst du's allen Leuten,
Du bist mir viel verhasster, wenn du schweigst!

ISMENE
Heiß wallt dein Herz bei schauerlichem Werk! 5

ANTIGONE
Eh' meine Kraft versagt, geb ich nicht auf.

(Sobald der Film abgelaufen ist, zunächst tiefes Schweigen, die Kommissionsmitglieder blicken einander an)

1. MITGLIED: Die Distanzierungsszene ist nicht deutlich genug, sie ist zu klassisch. Das muss deutlicher herauskommen, setzt sich nicht genug ab. 10
2. MITGLIED: Der Ausdruck „Gewaltiges" ist zu missverständlich, unter „gewaltig" kann man auch groß verstehen, schicksalhaft – das bringt uns in größte Schwierigkeiten – 15 dieses rebellische Weib, diese Antigone – der Distanzierungstext klingt zu edel ... *(zum Regisseur)* haben Sie diesen Vers hinzugedichtet?
REGISSEUR: Es schien mir angebracht, den Distanzierungsvers dem Text von Sophokles anzugleichen – ihn sozusagen stil- 20 gerecht in dem Stück – fast wie einen Chor – voranzusetzen.
3. MITGLIED: Aber gerade dadurch wird die Distanzierung undeutlich: Diese Anspielungen – verweigerte Beerdigung ... terroristische Weiber. 25
REDAKTEUR: Das Stück ist im 5. Jahrhundert vor unserer Zeitrechnung geschrieben. Sophokles.
3. MITGLIED: Es ist kein Trost, auf diese Weise zu erfahren, dass es schon im 5. Jahrhundert nun – sagen wir – terroristische Weiber gegeben hat. 30
REGISSEUR: Ich habe noch eine zweite Distanzierungsversion.
(gibt Zeichen, Film läuft an)
(Schauspielerinnen, wieder in klassischen Gewändern):
Nicht bestimmt war's uns, Gewaltiges zu künden, 35
Gewalt aber zwang uns, Gewaltiges zu künden.
(Wieder Schweigen)

1. MITGLIED: Es müsste mindestens heißen: „Gewalttätiges" anstelle von „Gewaltiges".
REGISSEUR: Das würde den Vers zerstören.
1. MITGLIED: Welche Gewalt übrigens sollte die Damen gezwungen haben, Gewalt zu verkünden?
REDAKTEUR: Die Gewalt Kreons, der Polyneikes die Beerdigung verweigerte.
1. MITGLIED: Die Gewalt eines Gesetzes also?
INTENDANT: Meine Damen und Herren, ich glaube, es ist hier nicht der Ort, über Sophokles zu diskutieren – diskutiert werden muss lediglich, ob die Distanzierung glaubwürdig ist –. *(zum Regisseur)* Mir scheint auch, dass der Ausdruck „Gewaltiges" missverständlich ist – es müsste schon „Gewalttätiges" heißen – dann würde klar, dass in dem Stück zwar Gewalt vorkommt, die beiden Damen selbst aber sich davon distanzieren – diese stilistische Angleichung an Sophokles ist verwirrend.
REGISSEUR: Ich habe noch eine dritte Distanzierungsversion drehen lassen. *(gibt Zeichen, Film läuft an)*
(Die beiden Schauspielerinnen, in Alltagskleidung, sprechen im Chor):
Es ist unvermeidlich, auch unübersehbar,
dass in manchen Stücken, auch klassischen
Gewalt dargestellt wird – *wir*
distanzieren uns aufs Schärfste von *jeglicher*
Form der Gewalt, und wir sagen dies
auch im Namen der Regie, der Verwaltung
des gesamten Ensembles
der Bühnenarbeiter
der Kassierer
im Namen aller, die
direkt oder indirekt an der Inszenierung
mitwirken. *(man sieht noch ein – zwei Minuten der klassischen Inszenierung)*
4. MITGLIED: Das klingt schon besser, ich finde aber, dass es doch den Sophokles-Text – ich möchte fast sagen – erniedrigt ...
3. MITGLIED: Ja, es wirkt albern, künstlich, ich möchte fast sagen ironisch, es wirkt einstudiert, nicht überzeugend ... und Ironie ist das, was wir am wenigsten gebrauchen können ...

REDAKTEUR: Und wenn wir ganz auf die Distanzierungsszenen verzichten? Einfach nur den Sophokles-Text – ich meine, wenn wir nicht einmal mehr Sophokles inszenieren dürfen (können) ...
2. MITGLIED *(sehr ärgerlich)*: Das nächste Wort wird Zensur sein, das übernächste Wort Faschismus *(mehr nervös als ärgerlich)*, verstehen Sie doch unsere Situation: Wir kämpfen mit dem Rücken zur Wand – ich frage mich, ob es wirklich notwendig ist, ausgerechnet jetzt *Antigone* zu inszenieren – verweigerte Beerdigung – aufsässige Weiber – und dieser düstere Seher, dieser Teiresias – ein Vorläufer der Propheten, ein – ein – eine Art vorweggenommener Intellektueller – die Jugend wird das missverstehen, als eine Aufforderung zur Subversion.
INTENDANT: Der Sendetitel der Reihe heißt: „Jugend begegnet Klassikern".
REGISSEUR: Die Produktion wird also eingestellt, immerhin stecken schon 800 000 Mark Produktionskosten drin.
1. MITGLIED: Am Geld wird es nicht scheitern – die Produktion – mein Vorschlag – fertigstellen, den Film auf Eis legen, bis ruhigere Zeiten kommen ...
INTENDANT: Und was senden wir statt dessen?
4. MITGLIED: Wiederholung der Dramatisierung des *Bellum Gallicum* von Höckner – das war ein sehr instruktives Stück ...
REDAKTEUR: Gewalt gegen Gallier, Gewalt der Gallier, römische Gewalt, gallische Gewalt – Vercingetorix, Caesar ...
2. MITGLIED: Immerhin, es ist ein Kriegsstück, kein Terrorstück ...
1. MITGLIED: Ich möchte doch hinzufügen, dass es eine sehr gute Inszenierung ist *(zum Regisseur)*, sehr gut – nur nicht der rechte Zeitpunkt, sie zu senden.
(Intendant, Regisseur und Redakteur schauen sich an ...)
(Man sieht vielleicht noch einmal einige Verse in der klassischen Inszenierung)

Aus: Heinrich Böll, Werke, Hörspiele, Theaterstücke, Drehbücher, Gedichte. Band I. 1952–1978, Köln: Kiepenheuer und Witsch 1979, S. 609ff.

6. Eine Szene analysieren – Tipps und Techniken

Ein gewichtiger Teil der Arbeit an dem Drama wird für Sie darin bestehen, einzelne Szenen zu analysieren, d.h. zu beschreiben und zu deuten und die Ereignisse in einem Text zusammenzufassen. Im Folgenden erhalten Sie einige Tipps, wie Sie dabei sinnvoll vorgehen können und wie eine Textanalyse aufgebaut werden kann.

Vorarbeiten

Lesen Sie die entsprechende Textstelle sorgfältig durch und markieren Sie alle Auffälligkeiten, z.B. sprachliche Besonderheiten, Bezüge zu Textstellen, die Sie bereits bearbeitet haben, mögliche Untersuchungsgesichtspunkte, Deutungsansätze. Markieren Sie nach Möglichkeit mit unterschiedlichen Farben oder unterschiedlichen Unterstreichungen (durchgezogene Linie, Wellenlinie, gestrichelte Linie ...).

Auswahl einer geeigneten Analysenmethode

Texte können auf unterschiedlichste Weise analysiert werden, im Wesentlichen geht es dabei um zwei Methoden:

a) Die Linearanalyse:

Der Text wird von oben nach unten bzw. vom Beginn bis zum Ende bearbeitet. Dabei geht man nicht Satz für Satz vor, sondern kennzeichnet zunächst den Aufbau des Textes und bearbeitet die einzelnen Abschnitte nacheinander. Der Vorteil dieser Methode besteht darin, dass ein Text sehr detailliert und genau bearbeitet wird. Vor allem bei kürzeren Auszügen ist diese Analysemethode zu empfehlen.
Man kann sich jedoch auch im Detail verlieren und die eigentlichen Deutungsschwerpunkte zu sehr in den Hintergrund drängen und den Zusammenhang aus dem Auge verlieren, wenn man zu kleinschrittig vorgeht.

b) Die aspektgeleitete Analyse:

Der Schreiber bzw. die Schreiberin legt vorab bestimmte Untersuchungsaspekte fest und arbeitet diese nacheinander am Text ab. Der Vorteil dieser Methode besteht darin, dass der eigene Text einen klaren Aufbau erhält und der Leser/die Leserin von Beginn an auf die Untersuchungsaspekte hingewiesen werden kann.
Ein Nachteil kann darin bestehen, dass einige Deutungsaspekte, die als nicht so gewichtig angesehen werden, unter den Tisch fallen.

Der Aufbau einer Linearanalyse

1. Einleitung: Hinweise auf den Text geben, aus dem die Szene stammt; evtl. über den historischen Hintergrund informieren; Ort, Zeit und Personen der zu behandelnden Szene angeben, kurze Inhaltsübersicht darbieten

2. Einordnung der Szene in den inhaltlichen Zusammenhang (Was geschieht vorher, was nachher?)

3. Zusammenfassende Aussagen zum inhaltlichen Aufbau, zu den Textabschnitten (kann auch in den folgenden Teil einfließen)

4. Genaue Beschreibung und Deutung der Textabschnitte Aussage zum Inhalt des jeweiligen Abschnitts
   - Aussagen zu Deutung, evtl. auch Einordnung der Deutungen in den Gesamtzusammenhang des Dramas (s. auch Schlussteil)
   - Aussagen zur sprachlichen Gestaltung als Beleg für die Deutungen
   - Überleitung zum nächsten Textabschnitt

5. Schlussteil: Zusammenfassung der Analyseergebnisse, Einordnung der Analyseergebnisse in den Gesamtzusammenhang des Dramas und in den zeitgeschichtlichen Hintergrund (falls nicht im Rahmen der Linearanalyse erfolgt), persönliche Wertungen ...

Der Aufbau einer aspektgeleiteten Analyse

Die zuvor aufgelisteten Punkte 1., 2. und 5. gelten auch für diese Analysemethode. Es ändern sich die Punkte 3. und 4.:

3. Kennzeichnung der Aspekte im Überblick, die im Folgenden detailliert am Text untersucht werden sollen.
4. Analyse des Textes entsprechend den zuvor genannten Schwerpunkten
   - Nennen des Untersuchungsaspekts
   - Kennzeichnung des inhaltlichen Zusammenhangs, in dem er relevant ist
   - Aussagen zur Deutung
   - Aussagen zur sprachlichen Gestaltung als Beleg für die Deutungen

Auch das sind wichtige Tipps für eine Szenenanalyse

- Vergessen Sie bei dramatischen Texten nicht, die Regieanweisungen in die Analyse einzubeziehen.
- Beachten Sie, wie die Dialogpartner miteinander sprechen, welche Gesten sie vollführen und welche Beziehungen sie zueinander verdeutlichen.
- Belegen Sie Ihre Deutungsaussagen mit dem Wortmaterial des Textes. Verweisen Sie entweder auf sprachliche Besonderheiten oder arbeiten Sie mit Zitaten.
- Bauen Sie Zitate korrekt in Ihren eigenen Satzbau ein oder arbeiten Sie mit Redeeinleitungen. Vergessen Sie nicht, die Fundstelle anzugeben.
- Verwenden Sie für die Beschreibung des Wortmaterials die entsprechenden Fachausdrücke (Wortarten, Satzglieder, rhetorische Figuren, ...)
- Schreiben Sie im Zusammenhang. Verlieren Sie den „roten Faden“ nicht aus dem Auge. Folgt ein neuer Gesichtspunkt, formulieren Sie nach Möglichkeit eine Überleitung.
- Machen Sie die gedankliche Gliederung Ihres Textes auch äußerlich durch Absätze deutlich.